MISSION SURVIE DANS LE DÉSERT

Titre original : *Explorers wanted! In the Desert*
Première édition en langue anglaise
publiée en 2004 par Egmont UK Limited,
239 Kensington High Street, London W8 6SA
Copyright pour le texte © 2004 Simon Chapman
Tous droits réservés
L'auteur confirme ses droits moraux.

© 2006, Éditions Milan pour le texte et l'illustration
300, rue Léon-Joulin, 31101 Toulouse Cedex 9
Loi 49-956 du 16 juillet 1949
sur les publications destinées à la jeunesse
ISBN 10 : 2-7459-2073-1
ISBN 13 : 978-2-7459-2073-7
www.editionsmilan.com

Simon Chapman

MISSION SURVIE
DANS LE DÉSERT

Illustrations de
Nicolas Hubesch

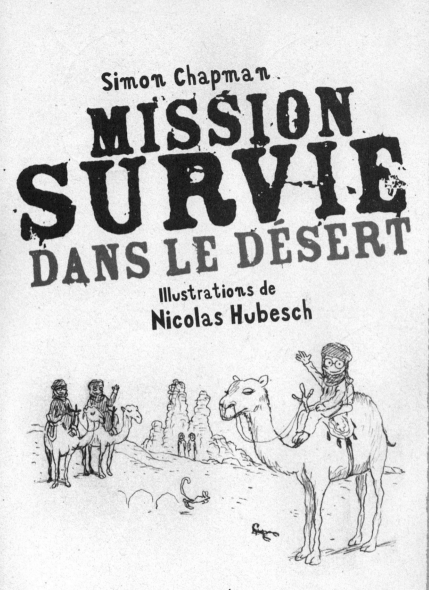

Traduit de l'anglais par Élisabeth de Galbert

MILAN
jeunesse

Sommaire

Ainsi... vous avez envie de partir en expédition dans le Sahara ?

De traverser des dunes interminables à dos de chameau ?...

De vous désaltérer dans une oasis étincelante ?...

De rencontrer les populations exotiques et les créatures étranges qui vivent dans ce désert aride ?...

Si la réponse à l'une de ces questions est oui, alors ce livre est fait pour vous.

Comment survivre dans des conditions extrêmes, comment se protéger contre la chaleur et le soleil brûlant, où trouver de l'eau là où tout semble si aride ?... Ce livre vous donnera toutes les informations nécessaires. Vous y trouverez aussi quelques anecdotes amusantes sur des explorateurs partis à l'aventure avant vous. Lisez-le vite !

VOTRE MISSION...

... si vous l'acceptez, consiste à traverser d'immenses étendues plates et caillouteuses, la hamada pierreuse et la grande mer de sable de Najmer pour atteindre le massif du Hoggar.

Cet énorme massif rocheux, sculpté depuis des siècles par le vent et le sable, est dominé par des pitons vertigineux et entaillé par de profondes gorges, dans lesquelles le soleil ne pénètre jamais. Les caravanes touarègues ont longtemps évité le Hoggar, car il n'y avait ni eau ni nourriture pour leurs bêtes, et elles risquaient de s'y perdre. Jusqu'au jour où...

Obligés de s'abriter lors d'une soudaine tempête de sable, des nomades séparés de leur caravane firent une découverte stupéfiante : de l'**EAU !** De l'eau fraîche et abondante. Lorsque, enfin, ils sortirent de la mer de sable et de la hamada, ils racontèrent avoir découvert un canyon perdu, avec un lac et même une cascade.

Il y avait aussi des peintures rupestres représentant des girafes, des hippopotames et des zèbres, animaux des plaines africaines et non du désert du Sahara. Vu l'état dans lequel ils étaient lorsqu'on les retrouva, peu de personnes les crurent, d'autant qu'ils étaient incapables d'expliquer comment retourner dans cette vallée.

Était-ce vrai? Pouvait-il vraiment y avoir une cascade au milieu du désert? Et ces peintures rupestres? Quand et par qui avaient-elles été exécutées? Voilà les questions auxquelles vous devrez répondre au terme de cette expédition. Comment vous préparer à cette aventure?

OASIS DE DJELLA

PUITS DE BILAN

MER DE SABLE DE NAJMER

MASSIF DU HOGGAR

Plantons le décor

Lisez attentivement ces informations sur le désert avant votre départ en expédition. Le désert du Sahara est IMMENSE...

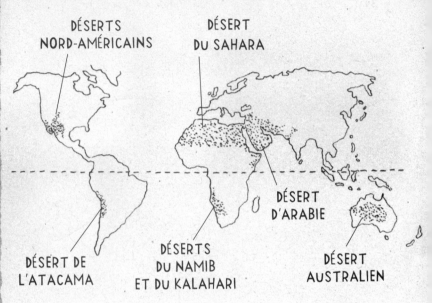

DÉSERTS NORD-AMÉRICAINS

DÉSERT DU SAHARA

DÉSERT D'ARABIE

DÉSERT DE L'ATACAMA

DÉSERTS DU NAMIB ET DU KALAHARI

DÉSERT AUSTRALIEN

Il couvre tout le nord de l'Afrique. D'autres déserts s'étendent en Arabie, au Moyen-Orient, dans le sud du Pakistan et l'ouest de l'Inde. Il y fait très chaud et très sec. Le sol est pierreux ou sablonneux ; la végétation est inexistante ou réduite à quelques plantes coriaces qui supportent la forte chaleur et le manque d'eau. Le Sahara et le Moyen-Orient ne sont pas les seuls déserts chauds. Si vous regardez une carte du monde, vous verrez qu'il y en a d'autres, comme les déserts du Namib et du Kalahari, situés de l'autre côté de l'équateur, en Afrique australe.

Même chose en Amérique du Nord et du Sud : des déserts s'étendent de part et d'autre de l'équateur, séparés par la jungle. Cela est dû à la manière dont le soleil chauffe la Terre. Au niveau de l'équateur, l'air chaud monte (convection). L'air océanique humide pénètre à l'intérieur, d'où une végétation luxuriante.

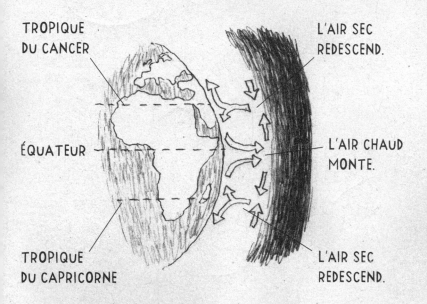

TROPIQUE
DU CANCER

L'AIR SEC
REDESCEND.

ÉQUATEUR

L'AIR CHAUD
MONTE.

TROPIQUE
DU CAPRICORNE

L'AIR SEC
REDESCEND.

L'air, plus sec, redescend au niveau des tropiques du Cancer et du Capricorne, où se trouvent les déserts. Les vents qui s'y forment éloignent toute l'humidité. Aussi n'y a-t-il pour ainsi dire pas de nuages et il fait très chaud et très sec. Mais tous les déserts se ressemblent-ils ?

De nombreux animaux se sont adaptés de manière très similaire à la vie dans le désert...

11

Désert du Sahara

FENNEC

VIPÈRE À CORNES

GERBOISE

Désert mexicain

RAT-KANGOUROU

CROTALE CORNU

RENARD VÉLOCE

Observez la scène ci-dessous. Sachant qu'elle se déroule dans le Sahara, en Afrique du Nord, quatre des six affirmations énoncées plus bas sont fausses. Lesquelles ?

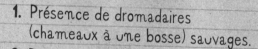

DROMADAIRE

CACTUS

GERBOISE

1. Présence de dromadaires (chameaux à une bosse) sauvages.
2. Présence de gerboises.
3. Presque tout le désert est sablonneux.
4. Il ne pleut jamais.
5. La nuit, il peut faire très froid.
6. Présence de cactus.

Réponses page 14.

Réponses aux questions de la page 13

1. Faux. Tous les dromadaires du Sahara sont domestiqués. Les dromadaires sauvages existent uniquement en Australie (voir chapitre 5).

2. Vrai. La gerboise ressemble à un petit kangourou et saute de la même manière. C'est un rongeur très courant au Sahara.

3. Faux. Les dunes de sable, ou ergs, ne couvrent que 15 % du Sahara. Le reste est formé de plaines cailouteuses (regs) et d'affleurements rocheux (hamadas).

4. Faux. Les pluies sont rares, mais elles tombent en hiver et sont parfois très violentes. Le désert le plus aride du monde est le désert de l'Atacama, en Amérique du Sud – dans certaines parties, il n'a jamais plu.

5. Vrai. La température peut descendre jusqu'à 0 °C la nuit, en hiver.

6. Faux. Les cactus poussent en Amérique. Certaines euphorbes d'Afrique, qui sont épineuses et dotées d'une réserve d'eau, leur ressemblent.

À quoi ressemble le Sahara ?

Le soleil de midi est brûlant. Vous avez l'impression d'être sous un gril. Le sol durci irradie lui aussi de la chaleur. Un gril au-dessus et un en dessous !

Le paysage autour de vous est plat et monotone.
Il n'y a d'ombre nulle part. Les brumes de chaleur font
apparaître des mirages à l'horizon : les couches d'air
chaud reflètent le ciel, d'où l'illusion d'une nappe d'eau
suspendue juste au-dessus du sol. Il n'y a absolument
aucun signe de vie. Aucune plante ne pousse entre
les pierres, sur le sol dur. Et s'il y a des animaux,
ils se cachent sous terre.

Vous avez la gorge desséchée. Vous buvez sans arrêt
et votre gourde est presque vide. Vous savez que vous
transpirez, mais votre peau semble sèche. La moindre
goutte s'évapore aussitôt, à cause de la chaleur. Même
si vous ne bougez pas et ne faites rien, vous avez
l'impression de perdre de l'eau aussi vite que vous
la buvez. Vous êtes sur le point de vous effondrer.

Le soleil brûlant et le manque d'eau conditionnent toutes vos décisions. Seules les créatures bien adaptées peuvent survivre dans le désert. Elles seules savent trouver de l'eau et la stocker ; elles seules peuvent supporter la chaleur intense ou bien se protéger en se réfugiant sous terre.

Vous n'êtes pas adapté à cet environnement, mais ne le prenez pas mal. L'homme n'est pas fait pour vivre dans le désert. C'est comme ça. De plus, vous ne devez pas simplement survivre ; vous devez aussi traverser le reg caillouteux, la hamada rocheuse et l'erg sablonneux. Comment font les peuples du désert, les Touaregs par exemple, pour vivre dans ces conditions extrêmes, auxquelles vous-même succomberiez au bout de quelques jours ?

Vous imaginiez que ce serait facile ? Qu'il n'y aurait que des dunes de sable ou que le terrain serait plat ? Vous vous trompiez ! Seule une petite partie du Sahara est ainsi. Le reste est couvert de pierres, d'arbustes rabougris et de montagnes. Vous devrez escalader les rochers du massif du Hoggar, affronter des tempêtes de sable et – ce qui peut paraître bizarre en plein désert – de brusques inondations. Aussi devrez-vous être bien préparé et convenablement équipé.

CHAPITRE 1
COMMENT S'ÉQUIPER

Vous pensiez que le
Sahara ressemblait
à une immense
plage de sable, avec
un soleil radieux ?...
Vous êtes excusé,
mais devez-vous pour
autant vous habiller
comme pour aller
à la plage ?

Parmi tous ces vêtements, choisissez ceux qui vous paraissent les mieux adaptés au désert.

Tête :

CHAPEAU 2

CHAPEAU 1

CHAPEAU 3

Torse :

DÉBARDEUR

T-SHIRT

CHEMISE AMPLE

Jambes :

PANTALON LÉGER

JEAN

SHORT

Pieds :

CHAUSSURES LÉGÈRES
ET CHAUSSETTES

SANDALES

Maintenant évaluez votre score.

Vêtement	Points	
Chapeau 1	0	Votre tête n'est pas protégée.
Chapeau 2	1	Votre nuque n'est pas protégée.
Chapeau 3	2	Vous êtes complètement protégé.
Débardeur	0	Vous attraperez des coups de soleil sur les épaules.
T-shirt	1	Ni vos bras ni votre cou ne sont protégés.
Chemise ample	2	Protège du soleil et permet à l'air de circuler.
Short	1	Vos mollets ne sont pas protégés.
Jean	1	Beaucoup trop chaud.
Pantalon léger	2	Mêmes avantages que la chemise ample.
Sandales	1	Pratiques pour le soir, mais vous risquez d'attraper des coups de soleil sur les pieds, la journée.
Chaussures légères et chaussettes	2	Bon choix. Les chaussettes absorbent la transpiration et évitent que vos chaussures ne frottent.

Score page 20.

Pourquoi ne pouvez-vous donc pas vous habiller comme pour aller à la plage ? Plus vous serez légèrement vêtu, moins vous aurez chaud… non ?

Sans doute… mais à quel prix ? Lorsque vous transpirez, c'est-à-dire que de l'eau s'évapore de votre corps, celui-ci produit de l'énergie pour transformer du liquide en gaz. Votre température baisse. Si vous êtes nu dans le désert, vous transpirez, l'eau s'évapore et votre température refroidit. Parfait… sauf que, réfléchissez : plus vous transpirez, plus vous perdez de l'eau. À force d'en perdre, vous vous déshydratez… et vous mourez (au début, d'accord, vous vous sentez mal, vos gestes ne sont plus coordonnés et vous perdez connaissance, mais, au bout du compte, le résultat est le même : vous mourez).

Donc, si vous êtes légèrement vêtu, prenez garde aux coups de soleil. Vous pouvez bien sûr vous enduire de crème solaire, mais à condition de choisir le bon indice de protection.

20

Si vous vous exposez au soleil de midi, en quelques secondes vous serez rouge comme un homard. Choisissez une crème ayant un indice d'au moins 50.

Regardez comment sont habillés les Bédouins de l'est du Sahara. Ils portent une tunique ample qui laisse l'air circuler. Ils transpirent un peu, mais sans plus, et ne perdent pas beaucoup d'eau. Ils enroulent autour de leur tête un keffieh (morceau de tissu retenu par un lien, ou agal), qui les protège du soleil, du sable et de la poussière. Ils préfèrent les couleurs claires, qui réfléchissent les rayons infrarouges (chaleur) du soleil.

Alors pourquoi de nombreux Touaregs vivant dans le sud du Sahara portent-ils une tunique bleu foncé ? Les couleurs sombres sont connues pour absorber la chaleur… En réalité, elles réfléchissent elles aussi très bien les infrarouges.

BÉDOUIN

Autres objets qui vous seront utiles :

• **Lunettes de soleil.** Si vous n'en avez pas, peignez-vous en noir le dessous des yeux. Vous verrez peut-être des gens ainsi maquillés – c'est pour ne pas être ébloui (ou pour suivre la mode ou tout simplement pour se faire beau).

TROUSSE DE SOINS
COUTEAU SUISSE, LAMPE DE POCHE

LUNETTES
DE SOLEIL

RÉPULSIF CONTRE
LES INSECTES

TEINTURE
D'IODE

SAC DE COUCHAGE

OUTRE D'EAU

BÂCHE
PLASTIQUE

MATÉRIEL
DE CUISINE

VÊTEMENTS
DE RECHANGE

GOURDE D'EAU

MAQUILLAGE
POUR LES YEUX

• **Gourdes ou outres d'eau.** INDISPENSABLES.
Emportez-en plusieurs. Vous aurez besoin de boire
beaucoup chaque jour et ne trouverez pas d'eau fraîche
dans le désert.

• **Teinture d'iode.** Versez-en deux gouttes dans un litre
d'eau, pour tuer les germes (qui risquent de vous rendre
malade). Vous devrez vous habituer au goût de moisi
que ce produit donne à l'eau (parfumez-la avec du jus
de fruits en poudre ou du jus de citron).

• **Vêtements de rechange** – pour le soir. Sandales,
short, T-shirt et un pull en laine pour les nuits fraîches.

• **Sac de couchage.**

• **La bâche plastique** sert toujours – pour se protéger
du soleil ou pour recueillir de l'eau (vous verrez plus loin
comment procéder).

• **Matériel de cuisine** et nourriture (espérons que vous
pourrez en trouver en chemin – voir chapitre 5).

• **Trousse de soins, couteau suisse, lampe de poche.**

• **Répulsif contre les insectes.** Si vous voyagez à dos
de chameau, vous risquez d'attraper des puces et des
tiques. Près des points d'eau, vous serez attaqué par
des moustiques et des mouches qui piquent.

Donc couvrez-vous, protégez-vous et buvez beaucoup.
Sinon voici ce qui risque de vous arriver…

Dangers dus à la chaleur et au soleil

Brûlures. Si votre peau n'est pas bien protégée, vous risquez de devenir écarlate, mais surtout d'être gravement brûlé.

Déshydratation. Vous avez des maux de tête et de la peine à vous concentrer (le cerveau contient 75 % d'eau). Vous n'avez pas faim et vous êtes constipé, tandis que votre urine devient concentrée et jaune foncé (une déshydratation prolongée peut provoquer des infections urinaires et rénales). Au fur et à mesure que vous vous déshydratez, votre peau devient grise, vos yeux s'enfoncent et des poches apparaissent en dessous. Vous souffrez de vertiges, votre respiration s'accélère et votre corps ne réussit plus à réguler sa température. Cela peut provoquer...

1. Une grosse fatigue. Vous avez fait trop d'efforts et votre organisme a perdu trop d'eau et de sel. Vous êtes épuisé, souffrez de vertiges et parfois de crampes musculaires.

2. Un coup de chaleur (ou insolation). C'est très grave. Votre corps ne peut plus réguler sa température à 37 °C. La sudation est bloquée et votre température s'élève fortement. Votre peau devient rouge écarlate. Vous souffrez de violents maux de tête, vos gestes ne sont plus coordonnés et deviennent parfois agressifs. Si votre température ne baisse pas, vous êtes pris de convulsions et vous mourez.

Que faire si ces symptômes apparaissent, ce qui est fort probable, étant donné que vous partez explorer (ce qui est déjà en soi fatigant) un désert brûlant, où l'eau est rare ?…

Quel est le traitement adapté à chaque état?

État	Traitement
1. Coups de soleil	A. Couvrez-vous. Mettez de l'écran total.
2. Coup de chaleur	B. Reposez-vous à l'ombre et buvez beaucoup.
3. Déshydratation	C. Buvez beaucoup d'eau, mangez salé et ne vous fatiguez pas.
4. Fatigue générale	D. Buvez beaucoup d'eau et ne vous fatiguez pas.

Réponses page 28.

Ces conseils sont donnés d'une manière générale. Peut-être souffrirez-vous de plusieurs troubles à la fois. Évitez-les en buvant régulièrement, en salant abondamment la nourriture et en ne faisant pas trop d'efforts.

Quelle quantité d'eau boire?

Dans un climat désertique, vous devez boire au moins six litres d'eau par jour, lorsque vous restez tranquille à l'ombre. Si vous êtes actif, comptez un demi-litre en plus par heure; plus, si vous vous fatiguez. Dix litres par jour semblent être une bonne moyenne. Dix litres d'eau pèsent dix kilogrammes. Si vous essayez de porter tout cela, vous perdrez bien sûr encore plus d'eau…

Comment retenir l'eau ?

Ou comment éviter de perdre de l'eau par la transpiration, l'excrétion d'urine et la respiration ?

A. Évitez de bouger.

B. Respirez par le nez, et non par la bouche, et évitez de parler.

C. Restez à l'ombre.

D. Ne buvez ni café ni Coca-Cola. Ces boissons contiennent des substances diurétiques qui donnent envie d'uriner souvent.

E. Ne vous allongez jamais sur le sol brûlant.

Parmi les moyens mentionnés ci-dessus, lesquels permettent de réduire la transpiration, l'excrétion d'urine ou la respiration ?

Réponses page 28.

Réponses aux questions de la page 26

1. A   2. B   3. D   4. C

Réponses aux questions de la page 27

Transpiration : **A**, **C** et **E**.

Excrétion d'urine : **D**.

Respiration : **B**.

Remarque : Si vraiment vous n'avez pas d'eau, ne mangez pas, car votre organisme a besoin d'eau pour digérer. Ne buvez pas d'alcool et ne fumez pas.

Pour survivre dans le désert, il est indispensable de trouver de l'eau. S'il n'y en a vraiment pas, vous devrez en emporter. À raison de dix litres par jour, vous serez donc obligé de trouver un moyen de transport.

Et si vous utilisiez une brouette ?

C'est ce que fit Geoffrey Howard, lorsqu'il traversa le Sahara en 1974. Il avait une espèce de brouette à voiles chinoise qu'il poussa de Beni Abbès, en Algérie, à Kano, au Nigeria. Son énorme roue roulait sans problème sur les bosses de la piste, mais, étant très étroite, elle s'enfonçait profondément dans le sable dès qu'elle sortait de la piste. Howard portait des vêtements tout à fait adaptés au désert : une

grande chemise en coton et un haut chapeau de paille avec un trou au milieu, pour la ventilation. C'était la tenue des Peuls (Foulanis) qui gardent les troupeaux dans le sud du Sahara.

Cette traversée fut si dure que Howard dut rentrer en 4 x 4, escorté de deux soldats. Vous n'aurez évidemment pas cette possibilité et devez donc bien préparer votre expédition.

Déterminez le moyen de transport le plus approprié en lisant le chapitre 2.

CHAPITRE 2

UN IMMENSE DÉSERT BRÛLANT

MASSIF DU HOGGAR

OUED

ERG SABLONNEUX

REG

HAMADA

VILLAGE DE BILAN

REG

ARBUSTES

OASIS DE DJELLA

Pour réussir votre expédition, vous devez déterminer le meilleur itinéraire pour traverser le désert tout en trouvant de l'eau à proximité. Étudiez la carte ci-dessus. Plus vous vous éloignerez de votre point de départ et vous enfoncerez dans le désert, moins elle sera précise, car peu d'explorateurs sont parvenus jusqu'au Hoggar.

Le Sahara offre trois types de paysages :

- Le reg. Vastes plaines caillouteuses et graveleuses, avec quelques rochers. Sol ferme.

- L'erg. Dunes de sable, parfois très pentues et glissantes lorsque le sable est mou.

- La hamada. Plateau rocheux. Sol ferme, parsemé de grosses pierres.

REG   HAMADA   ERG

Le tableau ci-dessous indique, pour chaque mode de transport, s'il est adapté ou non aux différents types de terrains.

Mode de transport	Reg	Erg	Hamada
Camion	Oui (rapide)	Oui (mais très difficile)	Non
Marche à pied	Oui (lent)	Oui (lent)	Oui (lent)
Chameau	Oui	Oui	Oui (lent)

MARCHE
À PIED

CHAMEAU

CAMION

Points d'eau
• Oasis de Djella
• Puits de Bilan
• Oued ?
• Mare dans une gorge du Hoggar – non localisée

En vous servant des informations données page 31
et ci-dessus, répondez aux questions suivantes :

1. Au début, quel est le mode de transport le mieux adapté ?

2. Où devez-vous effectuer votre premier arrêt ?

3. Quelle région aurez-vous du mal à traverser en camion ?

4. Quelle région ne pourrez-vous pas traverser en camion ?

5. Quel est le mode de transport le mieux adapté
pour traverser l'erg ?

6. Quelle région ne peut être traversée qu'à pied, avec
des animaux de bât (des ânes, par exemple) ?

Réponses page 41.

Vous trouverez de nombreux camions à l'oasis de
Djella. Avec ses palmiers-dattiers et ses pâtures pour
les moutons et les chèvres, c'est un grand marché où
les commerçants de la côte échangent leurs produits
manufacturés (des pots en plastique aux télévisions)
contre des produits agricoles. Vous pourrez y acheter
des provisions – abricots secs et dattes, couscous
(grains de semoule de blé) et lentilles, faciles à porter.
Vous trouverez aussi de l'eau fraîche (pas donnée !)
pour remplir vos gourdes.

Les commerçants vont rarement plus loin que l'oasis
de Djella, car il est peu intéressant pour eux d'aller
vendre leurs marchandises dans les villages disséminés
dans les vallées asséchées (oueds), avant le grand erg,
à moins que vous ne leur offriez un bon prix…
Vous négociez et finissez par faire affaire. Mohammed
Ibrahim vous emmènera jusqu'au puits de Bilan.

Peut-être l'avez-vous trop payé, vous demandez-vous quelques minutes plus tard, en voyant sa mine réjouie, tandis qu'il charge des cassettes vidéo, des assiettes en plastique et des boîtes de viande en conserve à l'arrière de son camion. Une fois le chargement terminé, Mohammed fait plusieurs fois le tour de l'oasis pour embarquer (moyennant finances, bien sûr) des passagers désireux d'aller jusqu'à Bilan. Vous réalisez qu'ils rentrent tous dans leur village après être venus au marché de Djella. Ils avaient sûrement organisé d'avance leur voyage de retour. Voilà pourquoi Mohammed a l'air si réjoui !

Le paysage, à la sortie de Djella, est semi-désertique, animé par des touffes d'herbes et des arbustes rabougris, qui semblent en avoir plus qu'assez d'être grignotés par les troupeaux de chèvres que vous apercevez de-ci, de-là. Mais, dès que vous avez quitté les abords immédiats de l'oasis, il n'y a plus ni dattiers ni arbres du tout, tout simplement parce qu'il n'y a plus assez d'eau. Comment les rares plantes qui poussent dans le désert peuvent-elles survivre avec si peu d'eau et une telle chaleur ?

Pour survivre dans le désert, une plante doit :

Racines

- Absorber le plus d'eau possible dès qu'il pleut, en étendant loin ses racines.
- Les enfoncer très profondément dans le sol (jusqu'à une centaine de mètres) pour accéder aux nappes d'eau souterraines.
- Stocker l'eau pour ne pas être desséchée par le soleil.

Tiges

- Les garder courtes. Pas besoin de pousser plus haut que les autres plantes, puisque aucune ne lui "fait de l'ombre". Elle a toute la lumière qu'il lui faut.
- Stocker de l'eau dedans.

Feuilles

- Empêcher l'eau de s'évaporer.
- Les avoir petites ou les couvrir d'épines.
- Les protéger d'un enduit cireux.
- Réduire le nombre de stomates – petits trous permettant aux gaz contenus dans l'air d'entrer et de sortir pour la photosynthèse – ou bien faire en sorte qu'ils se ferment automatiquement dès qu'il fait trop chaud.

Quiz

Voici deux plantes du Sahara. Déterminez leurs caractéristiques respectives.

Plante	feuilles	tige	racines
Acacia	petites et cireuses/épineuses	courte/stocke de l'eau	profondes/étendues
Euphorbe	petites et cireuses/épineuses	courte/stocke de l'eau	profondes/étendues

Réponses page 39.

Remarque importante sur les euphorbes

Même si certaines euphorbes ressemblent à des cactus, n'essayez en aucun cas de boire leur latex (ce n'est pas non plus conseillé pour la plupart des cactus). Épais et blanc, il est toxique et caustique (il vous "brûlera" la bouche). Il est également déconseillé d'allumer un feu avec des euphorbes séchées. Plusieurs personnes sont mortes après avoir mangé de la viande cuite sur un feu d'euphorbes.

EUPHORBE

ACACIA

Et ces touffes d'herbes jaunes et régulièrement espacées, comment font-elles pour survivre ? On les dirait mortes, mais le sont-elles vraiment ? Non. Certaines parties des racines sont vivantes. Car il existe un autre mode de survie.

Une autre stratégie pour survivre dans le désert

Dérouler tout son cycle lorsqu'il pleut. Le reste du temps, demeurer sous terre, à l'état de bulbe ou de graine. Dès qu'il pleut, pousser, fleurir et essaimer ses graines à toute vitesse (en quelques jours), avant que le sable ait complètement séché. Veiller à ce que ses fleurs regorgent d'un nectar sucré, qui attire les insectes pollinisateurs.

Le voyage continue...

Peu après avoir quitté Djella, la route – ou du moins ce qui est considéré comme telle – se termine. Cela n'a pas franchement d'importance. Le paysage est plat comme une galette et des traces de roues indiquent le chemin suivi par d'autres véhicules, traces dans lesquelles vous apercevez des touffes d'herbe morte. Parfois, lorsqu'il pleut, les traces retiennent l'eau juste assez longtemps pour que les graines dormantes y germent.
Dans les traces les plus profondes grouillent des insectes brun-jaune. Des sauterelles ? Non !…

Des criquets pèlerins! C'est juste une « petite » troupe de plusieurs centaines de criquets aptères, serrés les uns contre les autres pour se protéger du vent… Que se passe-t-il lorsque d'autres criquets viennent grossir les rangs? Ils forment une…

… nuée de criquets!

Voici comment elle se constitue :

• Des bandes de criquets pèlerins arrivent avec les vents. Ne pouvant pondre que sur un sol humide, ils profitent du vent qui apporte la pluie. Les plantes qui pousseront procureront de la nourriture aux jeunes. Les nuages de pluie ne font généralement que passer. Mais s'il pleut et si tout se déroule comme prévu…

• Les œufs éclosent et les jeunes criquets aptères se nourrissent de pousses toutes fraîches. Ils forment des bandes qui progressent en dévorant la végétation.

• Les criquets muent au fur et à mesure qu'ils grandissent (leur exosquelette devient plus grand à chaque mue). Ils avancent plus vite, parcourant environ un kilomètre par jour.

• En même temps que leur carapace définitive, les criquets acquièrent des ailes et deviennent adultes. L'essaim progresse maintenant d'une cinquantaine de kilomètres par jour, dévastant tout sur son passage.

• L'essaim qui mesure jusqu'à cinquante kilomètres de large forme comme une nuée d'insectes qui avance en « roulant ». Une première vague atterrit et commence à manger. Une deuxième atterrit devant, puis la suivante, et ainsi de suite. Lorsque la première vague ne trouve plus rien à manger, elle « saute » par-dessus les autres. La nuée continue de « rouler », dévastant tout sur son passage.

• Les prairies fertiles sont ravagées, les récoltes détruites.

Chaque année, ce fléau frappe des millions de personnes à travers le monde.

Réponses aux questions de la page 36

Acacia : feuilles petites et creuses, tige courte, racines profondes.

Euphorbe : feuilles épineuses, tige qui stocke de l'eau, racines étendues.

Il a toutefois des aspects bénéfiques. Dans certains pays d'Afrique, ces nuées de criquets sont considérées comme une manne, car, comme toute viande, ils constituent une importante source de protéines.

Recettes

• Arrachez les pattes des criquets et mangez-les crus.

• Faites-les bouillir ou frire, comme des crevettes.

• Si vous ne supportez pas la vue de ces insectes dans votre assiette, faites-les sécher et réduisez-les en bouillie. Mélangez celle-ci avec d'autres aliments, pour ne pas voir ce que vous mangez.

Le camion de Mohammed n'en finit pas de traverser des plaines monotones. Régulièrement, des passagers assis à l'arrière du camion tapent contre la vitre de la cabine ; une fois même, un homme réussit à atteindre la cabine par l'extérieur et crie quelque chose au conducteur par la fenêtre. Mohammed semble décidé à ne pas s'arrêter. Observant le tableau de bord, vous constatez que le moteur chauffe. De la fumée sort du capot. Est-ce de la vapeur ? Voilà que le moteur gémit, manifestement mal en point. Le camion ralentit et finit par s'arrêter.

Les passagers sautent précipitamment à terre. Ils avaient une envie pressante. Tandis qu'ils se soulagent, vous observez Mohammed. Il regarde d'un air horrifié la vapeur qui sort du radiateur. Il tourne la clé. Rien ne se produit. Il est clair que le camion n'ira pas plus loin.

Vous voilà en panne, vous, Mohammed et les six passagers. C'est l'heure la plus chaude de la journée. Bienvenue dans le désert du Sahara ! Qu'allez-vous faire maintenant ?

Réponses aux questions de la page 32

1. Le camion. Permet de traverser plus vite le reg.
2. Au puits de Bilan.
3. Les dunes de sable de l'erg.
4. La hamada.
5. Le chameau.
6. L'oued.

CHAPITRE 3
EN PANNE
DANS LE DÉSERT

État des lieux. Il est trois heures de l'après-midi. La plaine caillouteuse s'étend à perte de vue. Mohammed, les six passagers et vous êtes tout seuls, assis à l'ombre du camion en panne. Il fait chaud. Très chaud. Un vent brûlant, comme soufflé par un sèche-cheveux, balaye le sol. Vous avez un peu d'eau, mais, partagé en huit, cela ne fait pas beaucoup. Tout dépend combien de temps vous allez rester coincés ici.

Que faire ?

Vous avez le choix entre deux solutions.

A. Un ou plusieurs d'entre vous vont à pied jusqu'au village de Bilan (Mohammed dit qu'il n'est pas loin).

B. Vous attendez tous ici, en espérant que des secours arrivent. Vous pouvez peut-être envoyer un signal.

Les solutions A et B ont chacune des avantages
et des inconvénients.

Déterminez à quelle solution s'applique chacune des affirmations suivantes :

1. Vos réserves d'eau dureront plus longtemps si vous restez sur place.

2. Vous devrez vous diriger à la boussole. Vous risquez de vous perdre dans cet immense désert et de ne jamais trouver Bilan.

3. Vous aurez besoin de beaucoup plus d'eau.

4. On risque de ne jamais vous retrouver.

Réponses page 44.

N'y a-t-il pas de l'eau là-bas ? L'horizon paraît scintiller.
C'est difficile à dire, mais un lac semble se profiler
au loin. Les rayons du soleil s'y reflètent. De l'eau…
Et, s'il y a de l'eau, il y a des boissons fraîches…
de l'ombre… des crèmes glacées…

Réponses aux questions de la page 43

1. et 4. : **A** (Rester sur place.)
2. et 3. : **B** (Aller chercher de l'aide.)

Non. Arrêtez de rêver. Il n'y a pas d'eau. C'est un mirage.

Voici comment il se produit :
Les couches d'air juste au-dessus du sol sont plus chaudes
que celles situées plus en hauteur et reflètent un morceau
de ciel vers vous. Ce que vous prenez pour de l'eau
scintillant au soleil est le ciel qui se réfléchit vers vous.

Quant aux boissons fraîches et aux crèmes glacées, désolé!
C'est le pur produit de votre imagination débridée!

Que décidez-vous? Vous allez chercher du secours
ou vous restez sur place? Choisissez B. Ne bougez pas!
Il est plus difficile de retrouver dans le désert une
personne seule qu'un gros camion.

En admettant que vous marchiez dans la bonne
direction, vous ne pourriez pas emporter assez d'eau
ni vous protéger suffisamment contre la chaleur.
Même si vous marchiez la nuit, lorsqu'il fait plus frais,
vous n'arriveriez pas à Bilan. Bon nombre de personnes
sont mortes en essayant de traverser à pied le désert,
après être tombées en panne.

C'est une de ces situations où la meilleure solution
consiste à ne rien faire.

Même si peu à peu l'ennui vous gagne et si vous
éprouvez un sentiment de frustration, tenez-vous-en
à votre décision.

Au coucher du soleil, la température devient plutôt agréable. Vos compagnons arrachent quelques plantes près du camion de Mohammed et allument un feu. Ils discutent, de bonne humeur. Cette panne en plein désert ne les inquiète manifestement pas autant que vous. Ils continuent de bavarder tard dans la nuit, s'approchant de plus en plus près du feu au fur et à mesure que la température baisse.

Même si la température descend rarement en dessous de 0 °C dans le Sahara, elle peut fraîchir considérablement pendant la nuit. Aucun nuage ne renvoie la chaleur qui rayonne du sol. En hiver, il peut faire 0 °C la nuit et 37 °C le jour (la température du corps humain — chaud, mais pas trop). Le vent accentue souvent l'impression de fraîcheur. En été, la température peut grimper jusqu'à 50 °C le jour ; elle descend la nuit, mais jamais jusqu'à 0 °C.

Profitez de la baisse de la température pour recueillir la rosée. Creusez un petit trou, recouvrez-le de votre bâche plastique et posez des pierres par-dessus. L'humidité de l'air se condensera sur le plastique et vous pourrez ainsi recueillir un peu d'eau, sans jamais bien sûr obtenir les litres dont vous aurez besoin le lendemain.

La nuit est le moment où les animaux du désert sortent de leurs terriers pour redevenir actifs.

Voici des animaux que vous êtes susceptible de croiser. De quoi se nourrissent-ils ?

FENNEC

HÉRISSON À LONGUES OREILLES

GERBOISE

CRIQUET

SCORPION

A. Graines

B. Criquets

C. Gerboises, scorpions et criquets

D. Végétaux

E. Criquets et scorpions

Réponses page 50.

Ces animaux sont tous nocturnes. Ils restent toute la journée au frais et à l'ombre, cachés dans leurs terriers, et ne sortent que la nuit, lorsque la température a baissé. Ils sont toutefois adaptés à la forte chaleur et au manque d'eau.

Caractéristiques de la gerboise :

• Grandes oreilles, irriguées par de nombreux vaisseaux sanguins, pour dissiper la chaleur et refroidir le sang (commodes aussi pour entendre approcher les fennecs, qui présentent les mêmes adaptations).

• Urine très rarement ; son urine est alors très concentrée, pour économiser l'eau.

• N'a pas besoin de boire. Retire le peu d'eau dont elle a besoin de sa nourriture, directement ou lors du processus de respiration qui permet aux cellules d'assimiler la nourriture (nourriture + oxygène = énergie libérée + gaz carbonique + EAU).

• Pelage clair qui réfléchit les rayons du soleil.

• Creuse sous terre de longs tunnels qu'elle bouche elle-même, pour garder une température fraîche et constante, jusqu'à la nuit, moment où elle sort. Ses pattes antérieures étant petites, la gerboise utilise toutes les parties de son corps – y compris son nez – pour creuser.

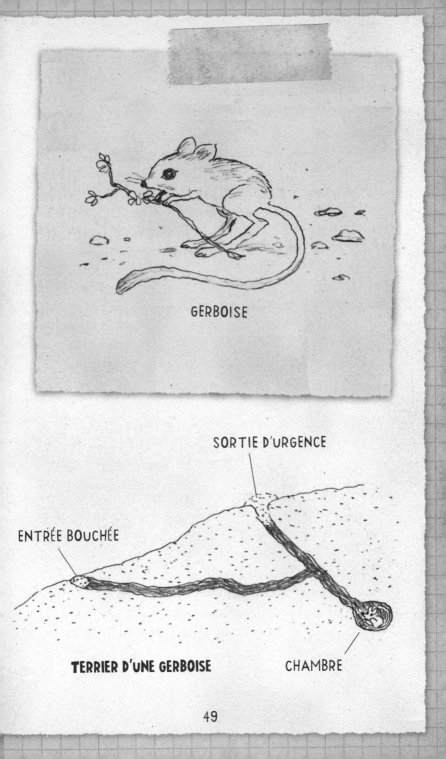

GERBOISE

SORTIE D'URGENCE

ENTRÉE BOUCHÉE

TERRIER D'UNE GERBOISE

CHAMBRE

Réponses aux questions de la page 47

A. Gerboise   **B.** Scorpion   **C.** Fennec
D. Criquet pèlerin   **E.** Hérisson à longues oreilles

L'aube se lève.

Vous êtes pelotonné dans votre sac de couchage, tout près du feu qui s'éteint. Certains de vos compagnons sont déjà debout. Vous remarquez qu'ils secouent leurs chaussures avant de les enfiler. Pourquoi ? Est-ce juste pour enlever le sable qui est entré dedans pendant la nuit ?

Soudain vous sentez quelque chose sur votre bras, puis une démangeaison. Il y a une bête dans votre sac de couchage ! Serait-ce un scorpion ? Voilà sans doute pourquoi vos compagnons secouaient leurs vêtements et leurs chaussures.

Ne bougez pas ! Surtout pas de geste brusque. Le venin de la plupart des scorpions du Sahara n'est pas mortel mais, si vous vous faites piquer, vous risquez d'être momentanément paralysé, ou bien de souffrir atrocement et d'enfler au point d'être incapable de bouger pendant plusieurs jours. Cloué ici avec ce camion en panne et de faibles réserves d'eau, vous n'avez aucune chance d'être correctement soigné. Vous n'auriez plus qu'à attendre, assis ou couché, en buvant de l'eau.

Certains préconisent d'appliquer sur la plaie quelques gouttes du sang (bleu) du scorpion, mais les bienfaits de ce traitement n'ont jamais été prouvés. En essayant de tuer le scorpion, vous risquez d'être piqué à nouveau (même mort, un scorpion peut injecter du venin, si vous effleurez sa queue).

Vous pouvez aussi inciser la plaie et sucer le venin, même si cela peut provoquer une infection bactérienne plus grave que ce que la piqûre elle-même aurait pu occasionner. Pire encore, vous risquez de vous empoisonner, en cas de plaies dans la bouche. Soyons réalistes : si vous vous faites piquer par un scorpion, il n'y a pas grand-chose à faire. Lavez la plaie, restez calme, ne vous déshydratez pas et reposez-vous. Les scorpions sont relativement courants dans tout le Sahara et tuent de nombreuses créatures. C'est simplement une réalité à laquelle vous serez confronté et contre laquelle vous devrez vous protéger.

Caractéristiques des scorpions

Comme les araignées, les scorpions sont des arachnides. Leur corps n'a pas fondamentalement évolué depuis plus de cent millions d'années.
Ils retirent l'eau dont ils ont besoin de leurs proies – criquets et autres insectes – qu'ils aspirent en quelques heures, laissant une "coquille" vide. Exposés aux ultraviolets, ils deviennent vert fluorescent.

Alors, que faites-vous ?

Vous ouvrez doucement la fermeture Éclair de votre sac de couchage et vous sifflez pour attirer l'attention de Mohammed qui trifouille (encore) dans le moteur de son camion. Il s'approche et tape sur votre bras avec une brindille. « Ce n'est rien », dit-il en ramassant par terre un scarabée noir inoffensif et en l'envoyant plus loin. Il n'y a pas que les scorpions qui aiment se glisser dans les replis de vos vêtements pendant que vous dormez…

Quelques heures plus tard.

Le soleil tape fort. Il fait déjà très chaud.
L'ombre du camion se rétrécit au fur et à mesure que le soleil monte dans le ciel. C'est votre deuxième journée dans le reg. Vos réserves d'eau seront bientôt épuisées si elles ne sont pas sévèrement rationnées. Pourquoi les autres ne semblent-ils pas inquiets ? Ils sont très gais et continuent de discuter, pointant de temps en temps le doigt vers le sud, où une minuscule tache ternit le ciel bleu.

Pourquoi vos compagnons ne sont-ils pas inquiets ?

Quelle réponse est la plus plausible ?

A. Survivre dans le désert est pour eux comme une seconde nature. Ces hommes endurcis peuvent supporter une chaleur extrême pendant plusieurs jours sans eau.

Ou...

B. Ils ont dit à leurs familles quand ils seraient de retour et savent que quelqu'un enverra un véhicule à leur recherche s'ils ne reviennent pas. On aperçoit le nuage de poussière que celui-ci soulève en approchant. Ou...

C. Le nuage de poussière est une tempête de sable, ce qui signifie que des nuages vont apparaître et qu'il fera moins chaud.

Réponses page 56.

Le soir même, vous arrivez dans l'oued – la vallée asséchée de Bilan – dans le camion de Mohammed. Le chauffeur du deuxième camion l'a dépanné facilement. Contrairement à Mohammed, il avait été prévoyant et avait emporté des pièces de rechange et une caisse à outils. « Cela fait partie des risques du métier ! » plaisante Mohammed, à qui il est déjà souvent arrivé de tomber en panne dans le désert, mais, à chaque fois, cela s'est bien terminé. « En tout cas, jusqu'à maintenant », ajoute-t-il tranquillement.

Cette nuit, vous dormirez à l'arrière du camion (espérons qu'il n'y aura pas de scorpions). Demain, Fatima et Assalama, les sœurs de Mohammed, vous emmèneront jusqu'à un campement de Touaregs. Avec un peu de chance, ils voudront bien vous faire traverser le grand erg à dos de chameau et vous conduire jusqu'aux montagnes du Hoggar.

CHAPITRE 4

DE L'EAU!
DE L'EAU!

Dire que **Bilan est un village** serait sans doute exagéré. C'est plutôt un assemblage de maisons en briques et en terre et de tentes, disséminées le long d'une vallée peu profonde. Celle-ci a été occupée par un cours d'eau, à en juger par les marques laissées sur les côtés par la végétation. Un peu d'humidité subsiste au fond, dans le sol. On aperçoit quelques arbustes, des acacias tout tordus, des chèvres qui broutent de-ci, de-là et, près de l'endroit où Mohammed a garé son camion, un puits. Toute la vie du village tourne autour de ce puits ; femmes et enfants viennent y puiser de l'eau plutôt sale, tandis que les chèvres s'y agglutinent, recueillant la moindre goutte tombant des seaux. Il y a aussi des mouches. Beaucoup de mouches.

La traversée du désert est toujours une aventure périlleuse. Vos compagnons le savent et se sont montrés prévoyants : avant de partir pour le marché de Djella, ils ont dit où ils allaient, comment et quand ils rentreraient, et se sont assurés que quelqu'un pourrait venir les secourir en cas de problème.

Fatima et Assalama expliquent que le campement touareg est à seulement quelques heures de marche en amont. Vous pouvez charger vos réserves d'eau et vos affaires sur leur âne.

Un oued est une vallée asséchée, parfois remplie par les rares pluies qui arrosent le désert du Sahara. Le plus souvent, elles tombent en hiver et en une seule fois, provoquant de brusques crues. L'eau ruisselle, la végétation étant trop pauvre pour l'absorber ; les petits ruisseaux finissent par se rejoindre et forment un torrent tumultueux qui descend l'oued et submerge tout sur son passage : les pierres et les arbustes, les maisons et le bétail (parfois des troupeaux de chèvres entiers), et les humains…

... Telle l'exploratrice suisse, Isabelle Eberhardt, qui explora l'Afrique du Nord (Algérie) au début du XXe siècle. Elle voyageait le plus souvent à cheval, et son mari, qui était arabe, l'accompagnait parfois. Comme il  n'était pas convenable qu'une femme soit seule, elle s'habillait souvent en homme (ce qui passait d'autant plus facilement qu'elle était mince, avec une forte pilosité). Elle survécut à la chaleur, à la poussière et à la déshydratation, mais fut tuée par l'eau : elle se noya lors d'une crue provoquée par des pluies violentes, en 1904.

Une autre crue, en revanche, sauva la vie à un explorateur de manière tout à fait imprévisible.

En 1854, l'Allemand Heinrich Barth et sa caravane furent attaqués par des Touaregs, alors qu'ils bivouaquaient dans un oued. Celui-ci fut brusquement inondé et ils se retrouvèrent encerclés par un immense torrent boueux, si impétueux, raconta Barth, qu'il aurait pu emporter un chameau. Si la crue stoppa l'attaque touarègue, Barth et ses compagnons furent bientôt menacés par un autre danger. Comme le niveau de l'eau montait, les bords de leur île commencèrent à s'effondrer. Après avoir échappé aux Touaregs, ils risquaient maintenant d'être balayés par les flots. Heureusement, l'eau se retira peu à peu, et Barth et ses compagnons échappèrent à la fois à la noyade et aux Touaregs.

Vous vous mettez en route dès le lever du soleil. Vous espérez ainsi arriver avant qu'il ne fasse trop chaud. Bien sûr, il aurait mieux valu partir avant l'aube, mais les deux jeunes filles craignent les serpents qui vivent dans l'oued. De jour, il est aussi plus facile d'éviter les touffes d'herbes sèches dont les graines s'accrochent aux jambes et irritent la peau. Il est très difficile de s'en débarrasser, car elles collent aux mains et leurs crochets se cassent sous la peau, ce qui est fort désagréable.

GANGA

Vous marchez depuis peu
de temps, lorsque vous apercevez de gros oiseaux ressemblant à des pigeons, avec une queue pointue. Ce sont des gangas. Peut-être y a-t-il de l'eau pas loin, car ils ont besoin de boire régulièrement pour digérer les milliers de minuscules graines qu'ils picorent chaque jour. Lorsqu'ils trouvent un point d'eau, les gangas s'y baignent souvent pour imprégner leurs plumes. Ils repartent avec leur précieux chargement vers leurs petits auxquels ils donnent à boire. Si vous voyez des gangas voler bas et tout droit tôt le matin ou le soir, dites-vous qu'ils se dirigent sans doute vers un point d'eau.

Signes révélant la présence d'eau

ROSELINS

AFFLEUREMENT
ROCHEUX

SABLE MOU

PENTE
CAILLOUTEUSE

Il arrive souvent de trouver de l'eau dans les oueds.
C'est en observant la configuration du terrain que
vous avez le plus de chances de creuser au bon endroit.
De brusques méandres, des roches d'un nouveau
type, des alignements de végétaux, des empreintes
d'animaux..., autant de signes qui révèlent peut-être
la présence d'eau. Observez l'oued représenté ci-dessus.
Quels signes indiquent qu'il y a de l'eau pas loin ?
Où serait-il judicieux de creuser un puits ?

Réponses page 60.

Réponses aux questions de la page 59

- Les traces d'animaux (ici des chèvres). Toutes descendent la vallée. Il y avait peut-être de l'eau par là il n'y a pas longtemps.

- Les roselins et les gangas. Leur présence laisse présager que l'eau n'est pas loin.

- Les arbustes au milieu de l'oued : ils doivent bien trouver de l'eau quelque part.

- La courbure du lit de la rivière près d'affleurements rocheux durs.

Essayez de creuser dans le sable mou tout proche.

Mieux vaut sans doute commencer par creuser avec un bâton pour voir si vous trouvez de l'eau dans le sable humide. Si vous avez la chance d'en découvrir en surface, dites-vous que des animaux l'ont trouvée avant vous. Ce sera non pas une mare d'eau claire et fraîche, mais un marécage avec de nombreuses traces et crottes de chèvres. Filtrez l'eau et purifiez-la avec quelques gouttes de teinture d'iode (voir chapitre 1) avant de la boire.

Mais voilà des mois qu'il n'a pas plu. Alors d'où vient cette eau ?

Des couches aquifères

Dans un oued, il y a souvent, juste sous la surface, une couche de roches dures qui ne laissent pas passer l'eau. Lors de la décrue, la majeure partie de l'eau s'évapore sous l'effet de la chaleur, tandis qu'une petite quantité s'infiltre dans le lit de la rivière, jusqu'à la roche imperméable, où elle stagne. C'est cette eau que vous trouverez en creusant.

De l'eau souterraine est ainsi emprisonnée dans des craquelures et des fissures un peu partout dans le Sahara. Parfois elle forme de vrais lacs souterrains qui existent depuis des millions d'années. C'est ce que l'on appelle de l'eau fossile. De nombreux projets ont été élaborés pour pomper l'eau des couches aquifères et ainsi irriguer et cultiver le désert. Mais leur application coûte si cher que rien n'a été fait. Même là où des ingénieurs ont creusé jusqu'à la roche imperméable et pompé de l'eau pour alimenter les villages voisins, les résultats ont souvent été décevants. La plupart des habitants du Sahara ont toujours été des nomades, qui se déplaçaient avec leurs chameaux et leurs chèvres vers des lieux de pâturage.

La découverte de pétrole dans de nombreuses régions du Sahara a rapporté de l'argent, lequel a été utilisé en partie pour effectuer des forages et installer des pompes. Bon nombre de nomades se sont alors fixés dans des villages, laissant leurs bêtes manger les plantes poussant tout autour. Plus besoin de se déplacer pour emmener les troupeaux paître : la vie nomade n'avait plus de raison d'être dans ces régions. Malheureusement l'eau ainsi pompée ne se renouvelle pas très souvent, les pluies étant rares. Après plusieurs années d'abondance, il arrive qu'elle tarisse.

Les Touaregs campent dans une petite vallée étroite – un oued secondaire. Des dromadaires – chameaux à une bosse – se pressent autour de quelques acacias et d'un « trou d'eau » marqué par de nombreuses empreintes. Trois tentes, supportées par des piquets en bois, auxquels sont attachés des morceaux de tissu, se dressent non loin de là. Les « murs » de deux d'entre elles sont formés par de grands cartons ouverts.

FATIMA
ET ASSALAMA

Deux hommes sont assis par terre, devant l'une des tentes. Ils sont vêtus d'une gandoura bleue et leur visage est dissimulé derrière un chèche, qui est enroulé sur leur tête et ne laisse voir que leurs yeux.

Ils ne réagissent guère à votre arrivée.
Vous attendaient-ils ?

Fatima vous fait signe de vous asseoir à côté d'eux et d'accepter le thé à la menthe qu'ils vous servent dans une tasse en argent. Elle sera votre interprète, lorsque vous négocierez la traversée du grand erg de sable, jusqu'aux gravures rupestres du massif du Hoggar.

Tout en buvant votre thé, vous ne pouvez vous empêcher de trouver que ces deux hommes assis en face de vous ont un air menaçant. Les Touaregs sont réputés pour être des pillards. Ne vont-ils pas enfin baisser ce voile qui dissimule leur visage ?
Pouvez-vous leur faire confiance ?
Vous aideront-ils à traverser l'erg ?
Vous ramèneront-ils après ?

Vous le saurez en lisant le chapitre 5.

CHAPITRE 5

LES HOMMES BLEUS

« **Pour commencer,** vous devez acheter un chameau », dit Ahmed, le visage dissimulé derrière son chèche bleu. « Il faudra aussi acheter de l'eau et nous payer, car nous serons obligés de faire un détour pour vous accompagner. Nous devrons donc emporter davantage de nourriture et d'eau, et donc plus de chameaux. »

Ni lui ni Abdullah, son compagnon, n'ont encore montré leur visage. Ils boivent leur thé par en dessous ou bien cachent leur bouche avec la main. Les négociations semblent toutefois bien avancer. Ahmed et Abdullah prévoient de se mettre en route le lendemain avec une petite caravane de chameaux – seulement une vingtaine. Ils doivent transporter du sel gemme jusqu'à un village situé quelque part au sud du plateau du Hoggar. Ils se feront un plaisir de vous emmener dans des gorges, où vous verrez des peintures rupestres très anciennes. Malheureusement ils ne connaissent pas cette cascade dont vous leur avez parlé. Ils veulent bien croire qu'elle existe, mais ils ne se sont jamais aventurés dans cette région dangereuse. Ils vous proposent d'acheter un de leurs chameaux. Ne vous inquiétez pas ! Vous n'avez pas besoin d'être expert en la matière : ils le choisiront pour vous et ils vous le rachèteront juste un peu moins cher, une fois l'expédition terminée – à condition bien sûr qu'il survive.

Leurs familles traversent le désert depuis des générations, pour faire du négoce au-delà du Hoggar, même si, autrefois, les caravanes étaient généralement plus importantes – cinq cents chameaux, ou plus. Dès leur plus jeune âge, ils ont appris à se diriger en « lisant le terrain », c'est-à-dire en cherchant des signes, de vieux acacias par exemple, et en observant la position des étoiles. Traditionnellement, ces caravanes transportaient de lourdes plaques de sel gemme vers le sud et rapportaient de l'or ou du millet (céréale). Parfois – il y a longtemps –, les Touaregs attaquaient les caravanes d'autres tribus et ramenaient des esclaves (d'où leur réputation guerrière).

Tombouctou, René Caillié et les minarets dorés

Ce commerce transsaharien se pratiquait dans plusieurs grands centres, dont Koumbi Saleh en Mauritanie, Agadez au Niger, et surtout Tombouctou, le plus célèbre de tous.

Situé sur le Niger, à l'extrême sud du Sahara, dans ce qui est aujourd'hui le Mali, Tombouctou était la destination finale de nombreuses caravanes descendant vers le sud. C'était une ville prospère, avec des bazars, des universités, des minarets revêtus d'or, et des dirigeants qui avaient tant d'argent qu'ils ne savaient pas quoi en faire. C'était du moins ce que pensaient les habitants de la lointaine Europe, convaincus que, s'il y avait de l'argent à gagner, c'était eux qui devaient le gagner ! Il y avait juste un problème, ou plutôt deux : l'immense désert et les tribus qui le contrôlaient. Si traverser le Sahara n'était pas en soi très difficile, les Européens qui s'y aventuraient avaient toutes les chances d'être tués.

Un jeune Français d'origine modeste et peu instruit, René Auguste Caillié, rêvait de devenir explorateur. À l'âge de vingt ans, il s'était déjà rendu deux fois en Afrique occidentale et avait gagné de quoi financer son voyage jusqu'à Tombouctou. La Société géographique de Paris avait promis un prix de 10 000 francs au premier Européen qui réussirait à y aller (et à en revenir).

ROUTES
COMMERCIALES
PASSANT PAR
TOMBOUCTOU

Pour ne pas se faire tuer par les indigènes, Caillié se déguisa en marchand arabe ; il raconta qu'il était égyptien et qu'enfant il avait été enlevé et emmené comme esclave en Europe ; voilà pourquoi il parlait aussi mal l'arabe. Si rocambolesque que fût son histoire, on le crut, et Caillié finit par arriver à Tombouctou, bien qu'il ait frôlé la mort à plusieurs reprises.

• Il faillit mourir du scorbut (la peau de son palais se détachait en lambeaux) et fut sauvé par une indigène qui ne découvrit pas sa véritable identité.

• Il fut capturé alors qu'il ramassait des graines sur une colline. Comme il assurait que c'était pour soigner un ami, ses ravisseurs, bien que n'étant pas convaincus, finirent par le relâcher.

• Lorsqu'il fut surpris en train d'écrire son journal en français, il raconta qu'il écrivait des chansons et se mit à chanter. Au bout de deux couplets, le policier cessa de lui poser des questions embarrassantes et tourna les talons.

Et Tombouctou, était-ce une ville si extraordinaire ? Absolument pas. Les maisons en brique séchée s'effritaient et les minarets n'étaient pas en or, mais – comme le reste de la ville – en boue et hérissés de pointes pour les retenir. Caillié ne fut guère impressionné.

Il se joignit à une caravane comptant 1 200 chameaux et de nombreux esclaves, et qui remontait vers le nord. Lorsqu'il arriva enfin à Rabat, au Maroc, le consul de France refusa de croire à son histoire, tant il paraissait pitoyable. Il dut poursuivre jusqu'à Tanger, où enfin on le crut, et rentra à Paris pour recevoir son prix.

CAILLIÉ CHANTANT
DEVANT LE POLICIER

La construction de routes et l'apparition de camions, qui pouvaient transporter plus rapidement plus de sel que les chameaux, affectèrent profondément la vie des nomades du désert. Heureusement pour Ahmed et ses amis touaregs, certains endroits sont inaccessibles aux camions et les chameaux restent le seul moyen de transport possible. La vie nomade existe donc encore.

Pourquoi les Touaregs se couvrent-ils le visage ?

Ils s'appellent eux-mêmes les *Kel Taguelmoust,* les « Gens du voile », et croient traditionnellement que se couvrir la bouche les garde des esprits mauvais (les femmes ne sont pas voilées). Cacher sa bouche est un signe de respect et de politesse. La tradition veut aussi qu'ils portent une gandoura bleu indigo. Souvent la teinture (bleue) déteint sur leur peau. Les Touaregs sont appelés parfois les « Hommes bleus », parfois aussi les « Abandonnés de Dieu ». À l'origine en effet, le mot « touareg » était une insulte, les Arabes considérant ces nomades comme des impies et des sauvages.

CHÈCHE ou
TAGUELMOUST
(turban que l'on
s'enroule autour
de la tête)

Bien choisir son chameau !

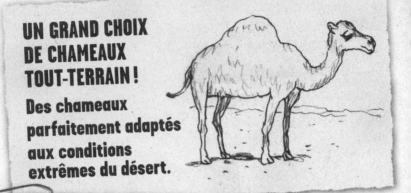

UN GRAND CHOIX DE CHAMEAUX TOUT-TERRAIN !
Des chameaux parfaitement adaptés aux conditions extrêmes du désert.

Que savez-vous au juste du "vaisseau du désert"?
Répondez par "vrai" ou "faux".

1. Les chameaux ont des pieds larges pour ne pas s'enfoncer dans le sable mou.

2. La bosse du chameau contient de l'eau.

3. Les chameaux n'ont pas besoin de boire. Comme beaucoup d'autres animaux du désert, ils retirent le peu d'eau dont ils ont besoin de leur nourriture.

4. Les chameaux ne meurent jamais de soif.

5. Les chameaux ont de longs cils qui les protègent du sable et de la poussière.

6. Les dromadaires sauvages ne vivent que dans les déserts d'Australie.

7. Les chameaux peuvent fermer leurs naseaux pour empêcher le sable et la poussière d'entrer.

8. Certains chameaux du Sahara ont deux bosses.

Réponses page 74.

Voici quelques-unes des caractéristiques les plus étonnantes des chameaux.

- Leur grande taille leur permet d'absorber la chaleur, sans que leur température s'élève trop. Ils l'évacuent lentement dès qu'il fait plus frais.
- Leur dos est couvert d'une épaisse toison thermo-isolante.
- Les poils sont moins épais sur le ventre, pour mieux dissiper la chaleur.
- Ils peuvent être actifs en supportant des températures élevées, auxquelles succomberaient beaucoup d'autres animaux.

CHAMEAUX DISPONIBLES DANS TOUT LE SAHARA ET LES DÉSERTS DU MOYEN-ORIENT !

Fantastique gamme de couleurs assorties au désert : blanc sable, brun sable, brun foncé et même pie brun (ces animaux sont souvent sourds suite à une mutation génétique).

GRATUIT : option crachat. Lorsqu'il est en colère, le chameau crache une bave verdâtre.
(Remarque : en fait, cette caractéristique n'est pas en option. Tous les chameaux crachent, de même qu'ils ont tous mauvais caractère. Ils se mettent souvent en colère, lorsque vous les obligez à se lever et à marcher, alors qu'ils ont envie de rester couchés.)

UNE ÉTRANGE MANIE !

Les chameaux ont tendance à uriner sur leurs pattes postérieures. Ce comportement est en fait très utile : en s'évaporant, l'urine évacue la chaleur, ce qui rafraîchit le chameau.

Maintenant que vous avez acheté un chameau, voici quelques accessoires que vous devrez vous procurer :

SELLE ET RÊNE

GUERBAS

CHAMBRE À AIR COUPÉE EN DEUX

• **Selle en bois.** Équipez-la d'un coussin pour la rendre plus confortable.

• **Rêne** *(teresum)* pour guider le chameau. S'attache à un anneau passé dans son naseau droit. Pour diriger votre monture, tirez sur la rêne en exerçant une pression sur son cou avec vos pieds.

• **Guerbas.** Outres en peau de chèvre. Avant de partir, trempez l'outre dans de l'eau ; celle-ci s'évaporera lentement et l'eau à l'intérieur restera fraîche. Pour transporter l'eau, vous pouvez aussi vous procurer de vieilles chambres à air de pneus de camions (souvent plus faciles à trouver). Coupez-les en deux et faites un nœud à chaque extrémité. Accrochez-les de part et d'autre du chameau pour équilibrer la charge.

• **Provisions.** Voici ce que les Touaregs emportent :

– Zummita : millet pilé (céréale ressemblant à du blé).
Vous pouvez la mélanger avec de l'eau ou du lait
de chamelle pour obtenir une sorte de bouillie
ou l'aplatir en galettes.
– Dattes séchées.
– Viande de chameau séchée et coupée en fines lamelles.
Parfois les Touaregs accrochent à leur selle ces bouts
de viande, qui ressemblent à des napperons en papier
marron.

Voici donc votre magnifique chameau ! Vous décidez
de l'appeler « Norbert ». Ahmed vous suggère de lui
donner le nom d'une marque connue de 4 x 4, pour
l'inciter à mieux marcher sur le terrain accidenté…
Mais cette proposition vous paraît saugrenue et vous
gardez le premier nom qui vous est venu à l'esprit.

L'affaire est conclue. Demain,
vous, Norbert le chameau
et une vingtaine de ses
amis et relations partirez
à l'assaut des dunes.

Réponses aux questions de la page 70

1. Vrai. Le poids du chameau se répartit sur une surface plus grande, de sorte que la pression au sol est plus faible.

2. Faux. Elle contient une réserve de graisse. Celle-ci se transforme en eau au fur et à mesure que le chameau en a besoin. Observez la bosse à la fin d'un long voyage. Elle est toute flasque d'un côté, la réserve de graisse ayant diminué.

3. Faux. Les chameaux doivent boire régulièrement, bien que moins souvent que d'autres mammifères. En été, ils peuvent rester environ cinq jours sans boire ; ensuite ils sont capables de boire une énorme quantité d'eau en un temps très court – cent litres en dix minutes.

4. Faux. Dans les années 1980, des milliers de chameaux touaregs sont morts suite à une longue période de sécheresse.

5. Vrai.

6. Vrai. Les dromadaires vivant en Australie descendent d'animaux importés par des explorateurs au XIXe siècle. Les dromadaires vraiment sauvages n'existent nulle part ailleurs.

7. Vrai.

8. Faux. Le seul chameau à deux bosses est le chameau de Bactriane, qui vit dans les régions désertiques de l'est de l'Asie.

CHAPITRE 6

LA TRAVERSÉE DE LA GRANDE MER DE SABLE

Voilà une semaine que vous avez quitté l'oued et les jours se suivent et se ressemblent. Le reg plat et la hamada pierreuse s'étendent à perte de vue, sans aucune plante, ni aucun point de repère, ni aucun changement dans le paysage pour vous montrer que vous avez vraiment avancé durant toutes ces journées. Pendant des heures, vous vous balancez doucement d'avant en arrière sur le dos de votre chameau, au rythme de ses pas, dans le silence. Vous n'entendez aucun bruit, hormis le craquement du harnais en cuir et le bruit des pieds des chameaux sur le sol caillouteux. Les journées se déroulent toutes de la même manière.

Déroulement d'une journée (ce pourrait être n'importe quel jour, car tous se ressemblent)

Aube. Lever. Prière vers La Mecque – vers l'est (Ahmed et Abdullah sont musulmans).
Vous buvez du thé léger et sirupeux et mangez de la zummita – sorte de bouillie de millet – et du poisson séché, trempé dans du lait de chamelle.

Après le petit déjeuner, Ahmed et Abdullah – vous ne les aidez guère – rassemblent les chameaux. Lorsque ceux-ci trouvent des plantes à manger, ils sont laissés en liberté. Parfois ils s'éloignent si loin du campement qu'il faut des heures pour les ramener tous. C'est plus facile (pour vous, mais pas pour les chameaux) lorsque la végétation est inexistante et qu'on leur donne de l'herbe séchée (vous en transportez des sacs entiers), car on leur entrave les pattes et ils ne peuvent pas aller loin.

Vous vérifiez le chargement des chameaux et repartez. Les heures passent lentement. Juché sur votre monture, vous êtes dans votre monde intérieur.

Le paysage ne varie guère. Même lorsque des rochers ou des dunes surgissent devant vous, vous avancez si lentement que vous avez l'impression de voir toujours la même chose. Comme il y a souvent du vent, il vous est difficile de parler avec vos guides. Vous vous protégez le visage avec votre chèche et vous vous perdez dans vos pensées, ou bien vous chantez pour passer le temps.

Midi. Vous vous arrêtez. Vous déchargez les chameaux et les laissez brouter. Prière. Thé. Déjeuner – de la zummita et des dattes. Puis vous faites la sieste pendant plusieurs heures, ce qui est la meilleure chose à faire tellement il fait chaud, très chaud.

En fin d'après-midi, vous rassemblez les chameaux (mêmes difficultés que le matin) et vous vous remettez en route.

Soir. Prière. Dîner. Ce repas est plus substantiel et meilleur que les autres. Vous mangez de la viande de chameau ou de chèvre et des dattes, et vous buvez du lait de chamelle.

Nuit. Vous dormez sur le sable, enveloppé dans une couverture. Ne vous installez pas trop près des chameaux (ni près d'arbustes) au cas où les tiques qui boivent leur sang seraient en quête d'un meilleur gîte.

Aube. Vous repartez.

Vous avez remarqué que, depuis quelques jours, vous longez le bord d'une zone sablonneuse, avec de hautes dunes. Ce doit être l'erg, cette mer de sable indiquée sur votre carte. D'après votre boussole, la route suivie par Ahmed vous détourne de votre chemin. Lorsque vous le lui signalez, il vous répond de ne pas vous inquiéter. Il est plus facile de marcher là que sur le sable mou et, dans l'erg, les chameaux ne trouveront rien à manger. Mieux vaut donc le traverser dans sa partie la plus étroite. Mais comment sait-il où elle se trouve ? Tout se ressemble tellement ! Il dit qu'il sait, c'est tout. Il est déjà souvent venu par ici. Effectivement, alors que vous atteignez une hamada de pierres orange – dont les fissures, dues à la chaleur, laissent entrevoir une pierre violette –, Ahmed fait signe à la caravane de piquer vers le sud. Votre traversée de la grande mer de sable de Najmer a commencé.

Au début, le changement de paysage vous procure un réel soulagement, mais, au fur et à mesure que vous grimpez et contournez les énormes dunes, la nouveauté perd de son charme.

À nouveau, vous vous abîmez dans le monde silencieux de la contemplation intérieure, tandis que les chameaux continuent d'avancer.

Mais bientôt ils ralentissent, car les dunes deviennent de plus en plus hautes. Parfois ils s'enfoncent dans le sable jusqu'aux genoux, ce qui vous arrive à vous aussi, ainsi qu'à Ahmed et à Abdullah, lorsque vous mettez pied à terre pour faire avancer les chameaux. Vous devez être particulièrement vigilant dans les descentes, car le sable peut glisser et emporter avec lui les chameaux, cassant du même coup la corde qui les relie les uns aux autres. Bientôt vous n'aurez plus qu'une envie : retrouver les plaines du reg, si faciles à traverser, même si elles sont monotones.

Si vous demandez à quelqu'un de décrire le désert, il vous dira très certainement qu'il y a des dunes de sable. En réalité, l'erg sablonneux ne recouvre qu'un septième du Sahara environ. Le reste est occupé par le reg caillouteux et la hamada rocheuse. Dans les ergs, les grains de sable sont presque constamment en mouvement, sautant plus qu'ils ne roulent.

GRAINS DE SABLE REBONDISSANT

Le vent soulève des grains qui, en atterrissant, en heurtent d'autres, lesquels sautent à leur tour. La face sous le vent de la dune a à peu près toujours la même déclivité (32°). C'est la déclivité maximale au-delà de laquelle le sable se met à glisser naturellement. Vous entendez parfois le sifflement des grains de sable qui rebondissent dans la pente ; parfois, vous les entendez qui couinent ou qui grognent, à cause des vibrations que vous provoquez en marchant dessus.

Comment se forment les dunes de sable ?

Les dunes de sable peuvent mesurer de quelques mètres
à plusieurs centaines de mètres de haut. Elles ont des
formes très différentes. Tout dépend de la quantité
de sable soufflée par le vent et de la direction de celui-ci.
Les formes les plus courantes sont représentées p. 82-83.
Essayez de retrouver comment se forment les différents
types de dunes mentionnés dans le tableau p. 82.

Type de dune	Mode de formation
1. Barkhane	**A.** Le vent souffle parallèlement à la dune, formant des crêtes aux arêtes vives, qui peuvent mesurer jusqu'à 200 m de haut. Ces cordons de dunes s'étendent sur plusieurs kilomètres.
2. Dune transversale	**B.** Le vent souffle perpendiculairement à la dune. Lorsqu'il y a beaucoup de sable, les dunes se rejoignent et forment des cordons.
3. Dune à lames	**C.** Le vent souffle de plusieurs directions. Ces dunes ont tendance à s'élever plutôt qu'à s'allonger.
4. Dune en étoile	**D.** Des dômes de sable se forment dans la direction du vent. Les plus grands peuvent être surmontés de dunes à lames.
5. Dune en "dos de baleine"	**E.** Pas beaucoup de sable disponible. Le vent souffle perpendiculairement à la dune qui s'allonge en forme de croissant.

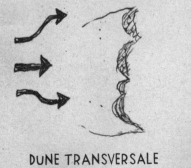

DUNE TRANSVERSALE

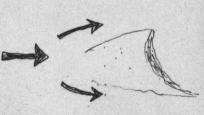

BARKHANE

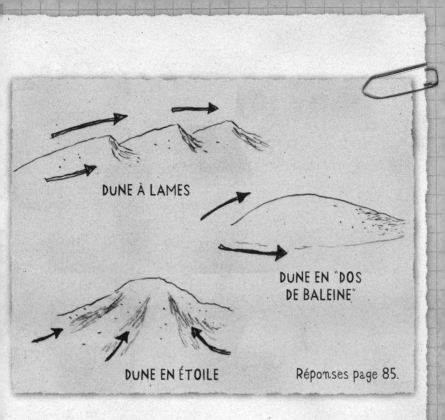

DUNE À LAMES

DUNE EN "DOS DE BALEINE"

DUNE EN ÉTOILE

Réponses page 85.

Des dunes apparaissent souvent lorsque du sable s'accumule autour d'obstacles, tels des arbustes ou des pierres. La dune s'élève et se déplace dans le sens du vent. Dans certaines régions du Sahara, les villages sont régulièrement recouverts par les dunes en mouvement. Leurs habitants partent construire de nouvelles maisons ailleurs. Dès que la dune s'est déplacée, ils reviennent dans leur ancien village, déblayent le sable et se réinstallent dans leurs maisons.

La vie dans les dunes

Un certain nombre d'animaux vivent dans les mers de sable, malgré les conditions extrêmes qui y règnent. Durant votre expédition, vous-même avez découvert plusieurs fois des scorpions dans votre sac de couchage. Un jour, vous avez aperçu dans le sable une série de traces étranges croisant les rides sculptées par le vent. L'animal qui a laissé ces traces essayait de se déplacer en étant le moins possible en contact avec le sol, pour ne pas être brûlé par le sable.

Comment ne pas se faire brûler par le sable ? Trouvez quelle méthode utilise chacun de ces animaux.

Animal	Méthode
1. Fennec	A. Torsion latérale du corps. Avance en ondulant de sorte que tout son corps ne touche le sable qu'en deux endroits à la fois.
2. Scinque (lézard avec des pattes raccourcies)	B. Plante des pieds couverte de poils.
3. Acanthodactyle	C. Court sur une courte distance, puis fonce jusqu'à son terrier, dès que le sable devient trop chaud.
4. Vipère à cornes	D. "Nage" juste en dessous de la surface du sable où il fait beaucoup plus frais.

Réponses page 86.

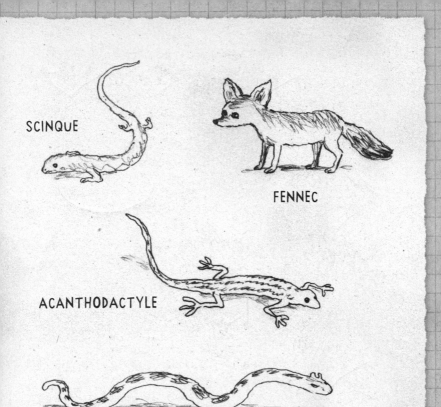

SCINQUE

FENNEC

ACANTHODACTYLE

VIPÈRE À CORNES

Réponses aux questions des pages 82-83

1. E   2. B   3. A   4. C   5. D

(Il existe bien sûr beaucoup d'autres formes et combinaisons possibles, par exemple une dune transversale surmontée d'une dune en étoile.)

Réponses aux questions de la page 84

1. B

2. D

3. C (L'acanthodactyle a de longs doigts bordés d'écailles élargies, qui répartissent son poids et l'empêchent de s'enfoncer dans le sable.)

4. A

Remarque : ces animaux ne sortent jamais aux heures chaudes. Ils succomberaient à la forte chaleur qui affecterait leur métabolisme. Un seul animal – une fourmi – brave le soleil de midi.

Fourmis argentées du désert

Pour les fourmis argentées, la meilleure manière d'échapper aux acanthodactyles est de sortir vers midi, lorsque ceux-ci sont au frais. Des centaines de fourmis argentées sortent en même temps ; elles grimpent sur la moindre pousse à la recherche de dépouilles d'insectes qu'elles rapportent jusqu'à la fourmilière.
Elles doivent se dépêcher, car l'insolation les guette et elles risquent de ne plus retrouver leur chemin.

Les fourmis argentées peuvent rester jusqu'à trente minutes en plein soleil, tout en parcourant de longues distances. Compte tenu de leur taille, ce sont les créatures les plus rapides du monde. Et vous, ne seriez-vous pas aussi rapide si vous saviez que votre cerveau risquait de frire à rester trop longtemps dehors ?

Troisième jour dans l'erg. Le vent s'est levé, soufflant des grains de sable qui rebondissent jusqu'aux genoux. L'air picote étrangement, tandis que des bourrasques de vent chaud effrayent les chameaux. Ils blatèrent et renâclent à suivre Abdullah qui a mis pied à terre et marche devant. Le ciel s'assombrit et vos deux guides, le visage presque entièrement camouflé, obligent les chameaux à se coucher. Un énorme nuage marron se dirige vers vous.

Une tempête de sable !

CHAPITRE 7

TEMPÊTE DE SABLE

La tempête de sable arrive. Déjà les premières bourrasques de poussière et de sable vous atteignent de plein fouet. La peau vous pique et vous avez les yeux qui pleurent malgré les lunettes et le chèche ; ils sont pleins de sable. Vous devez trouver un abri, mais il n'y en a pas. La face sous le vent de la dune est peut-être l'endroit où vous serez le mieux protégé. Tandis que le ciel devient marron et que la tempête de sable commence vraiment, votre plus grand risque est d'être séparé du groupe.

Les chameaux se couchent par terre, dos au vent. Des étincelles s'échappent de leur queue et explosent dans l'air brûlant, à cause de l'électricité statique qui essaye de toucher le sol. Un jour, une étincelle semblable à celles-ci a soufflé un bus, alors que le conducteur faisait le plein de carburant juste avant qu'une tempête de sable éclate. Une étincelle a jailli du tuyau et enflammé l'essence. Heureusement les passagers, sentant la présence d'électricité statique, étaient sortis précipitamment du bus.

Tandis que la tempête s'abat sur vous, Abdullah et Ahmed veillent à ce que les chameaux restent groupés, puis cherchent à s'abriter. Heureusement les bêtes demeurent calmes, fermant les yeux et les naseaux. Elles sont habituées aux tempêtes de sable. Vous êtes tenté de ramper jusqu'à Norbert pour vous abriter derrière lui, mais s'il roulait sur vous et vous écrasait? Vous vous serrez contre vos guides qui se sont mis à l'abri sous une bâche; les rafales de vent vous secouent, tandis que le sable vous cingle le visage à chaque fois que vous sortez la tête pour observer l'état des chameaux. Vous sentez le poids du sable qui s'amoncelle sur la bâche. Vous devriez peut-être bouger avant d'être enterré.

Le vent faiblit. Les rafales qui secouent la bâche s'espacent ; vous vous relevez et constatez que le sable et la poussière vous arrivent maintenant en dessous de la taille et ne montent plus. Ahmed oblige les chameaux à se lever, ce qu'ils font en grognant et blatérant. Tandis que la caravane se prépare à repartir, vous vous examinez. Vous êtes couvert de poussière de la tête aux pieds, vous avez les yeux qui pleurent et des larmes coulent sur vos joues.

Ahmed, Abdullah, vous et les vingt chameaux continuez de traverser les dunes. Alors que vous contournez un grand dôme, vous apercevez… un addax.

ADDAX

S'il y a un animal parfaitement adapté
à la vie dans le désert, c'est bien lui.

Observez l'addax représenté ci-dessous. Pourquoi est-il
spécialement bien adapté au désert ? Les explications
concernant la gerboise (chapitre 3) et le chameau
(chapitre 5) devraient vous aider à répondre.

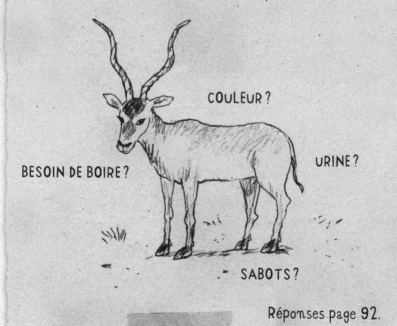

COULEUR ?

URINE ?

BESOIN DE BOIRE ?

SABOTS ?

Réponses page 92.

L'addax vous observe une seconde avant de détaler. Ahmed déclare que sa présence est bon signe. Les Touaregs estiment que ces antilopes du désert peuvent détecter de l'herbe et de l'eau à plus de quatre-vingts kilomètres de distance. Aussi les chassent-ils rarement, car elles leur sont utiles. D'autres, malheureusement, les tuent. Aujourd'hui l'addax est fortement menacé dans tout le Sahara. Il n'existe plus que dans quelques zones protégées, alors qu'il était courant jusqu'à une époque récente.

La présence de cet addax signifie-t-elle que vous approchez du massif du Hoggar ? Peut-être l'apercevrez-vous du haut de cette énorme dune ?

La montée est épuisante. À chaque pas, le sable s'effondre et vous avez le sentiment de reculer. Mais vos efforts sont récompensés par la vue que vous découvrez en haut. Le Hoggar ! Dans l'air pur, vous distinguez tous les détails – les immenses falaises, les pitons rocheux émergeant du sable, les roches colorées, érodées par le vent, et les surplombs sculptés par le sable.

Tout y est gigantesque, à en juger par la taille de l'addax qui semble minuscule, au pied du massif. Même Ahmed et Abdullah paraissent impressionnés. Après tout, il est possible qu'il y ait de l'eau, admettent-ils, mais comment la trouver dans cet amoncellement de roches ? Peut-être ces deux oiseaux à la queue pointue, qui volent vers le Hoggar au ras du sable, vous mettront-ils sur la voie ?

Quiz

1. Quel est le nom de ces oiseaux ?

2. Qu'indique leur vol ?

3. Quelle instruction allez-vous donner à vos guides ?

Répondez à ces questions tout en chargeant votre chameau et poursuivez votre route vers les "Piliers du Hoggar".

Réponses page 94.

CHAPITRE 8
LES PILIERS DU HOGGAR

Les chameaux, conduits par Ahmed, accélèrent le pas au fur et à mesure que vous approchez de votre destination. Les falaises s'élèvent à la verticale au-dessus du sable.

Réponses aux questions de la page 93

1. Ce sont des gangas.

2. Leur vol rasant signifie qu'ils se dirigent vers un point d'eau.

3. Demandez à vos guides de suivre les oiseaux.

Les parois du canyon sont si hautes et si raides qu'il est impossible de les escalader. Pour la première fois depuis longtemps, vous êtes à l'ombre. Avec les chameaux, vous pénétrez au cœur du Hoggar en suivant la langue de sable doré qui s'étend devant vous ; tout est recouvert en surface d'une poussière violette provenant de la bande rocheuse érodée par le vent cinquante mètres plus haut. Cette couche superficielle est manifestement moins résistante que la roche dont le Hoggar est majoritairement constitué. Le vent, chargé de sable, a creusé de profondes cannelures et sculpté des piliers, et même des arches, le long des parois rocheuses. Au pied de la falaise, il a découpé des surplombs et creusé des grottes, dans lesquelles mieux vaut ne pas s'abriter à cause du risque de chutes de pierres. Comme pour confirmer vos doutes, des cailloux, sans doute soufflés par le vent, dégringolent du haut de la falaise, tandis que leur tintement est répercuté par les parois rocheuses.

Impasse.

Le canyon s'est rétréci et est obstrué par des pierres. Auriez-vous été trompé par les gangas ? Non. Des signes révèlent que l'eau n'est pas loin. Un petit arbuste pousse dans une fissure, en haut de l'éboulis. Vous entendez des oiseaux gazouiller au-dessus de vous. Maintenant vous les voyez.

Ce sont de petits oiseaux jaune clair, qui sautillent autour des pierres, près de l'arbuste. Vous pourriez peut-être grimper jusque-là et poursuivre votre exploration, en laissant les chameaux en bas.

Tandis que vous réfléchissez, votre regard est attiré par un mouvement brusque, en haut de l'éboulis. Tout se passe très vite. Un gros animal ressemblant à un chat surgit de l'ombre et attrape un des oiseaux. L'espace de quelques secondes, vous le distinguez mieux. Il a la taille d'un berger allemand, une fourrure marron jaune, une queue courte et de longues oreilles terminées par des pinceaux de poils, comme un lynx. C'est un caracal. À peine l'avez-vous identifié qu'il a disparu sous un surplomb.

Un caracal, des gangas, un arbuste…
Il doit y avoir de l'eau de l'autre côté de l'éboulis.
L'illustration ci-contre représente ce que vous voyez en face de vous. Quel chemin est le plus sûr pour franchir cet éboulis ?

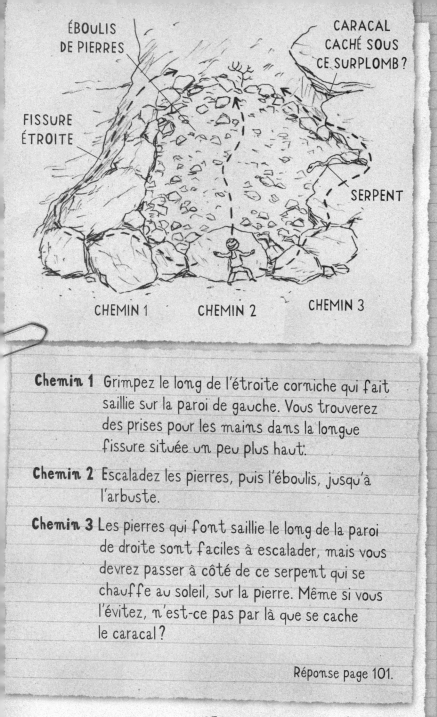

ÉBOULIS DE PIERRES

CARACAL CACHÉ SOUS CE SURPLOMB?

FISSURE ÉTROITE

SERPENT

CHEMIN 1   CHEMIN 2   CHEMIN 3

Chemin 1 Grimpez le long de l'étroite corniche qui fait saillie sur la paroi de gauche. Vous trouverez des prises pour les mains dans la longue fissure située un peu plus haut.

Chemin 2 Escaladez les pierres, puis l'éboulis, jusqu'à l'arbuste.

Chemin 3 Les pierres qui font saillie le long de la paroi de droite sont faciles à escalader, mais vous devrez passer à côté de ce serpent qui se chauffe au soleil, sur la pierre. Même si vous l'évitez, n'est-ce pas par là que se cache le caracal?

Réponse page 101.

Vous grimpez. La vallée de l'autre côté est étroite, avec
des parois raides. Des arbres y poussent – de vieux cyprès
tordus, peut-être millénaires. Le fond du canyon est
jonché par endroits de cônes et de graines, dont aucune
n'a germé depuis des siècles. Il fait trop sec. Tandis que
vous poursuivez votre ascension, vous remarquez sur les
surplombs rocheux des couleurs inhabituelles : ce sont
des peintures. Vous distinguez des formes humaines,
des hippopotames et des girafes, des cyprès – peut-être
ceux que vous venez de voir. Des hommes font paître
des animaux blanc et noir dans des prés luxuriants.

Vous reconnaissez les montagnes du Hoggar, mais il
y a des forêts et des cours d'eau dans les canyons. En
étudiant ces peintures de plus près, vous remarquez des
styles différents, comme si elles avaient été exécutées
à plusieurs époques. Les plus anciennes représentent
des chasseurs poursuivant des antilopes et des zèbres.
Sur d'autres, plus récentes, on voit des hommes qui
se sont sédentarisés et qui cultivent la terre. D'autres
encore, moins nombreuses, représentent des chars et
des batailles, ou bien des chameaux et des gens vêtus
comme les Touaregs qui vous ont conduit jusqu'ici.
Que signifient ces peintures ? Qu'à l'époque on chassait
toutes sortes d'animaux et que le bétail mangeait de
l'herbe ? Que ce sont les hommes qui ont transformé
ces prés verdoyants en désert ?

La réponse est non. C'est le climat de la planète qui a changé. Il y a cinq mille ans, le Sahara recevait beaucoup plus de pluies qu'aujourd'hui. Les animaux et les hommes prospéraient. Puis le climat est devenu plus sec et les agriculteurs se sont déplacés vers le sud et vers le nord, développant leurs propres civilisations. Certains – qui deviendront les anciens Égyptiens – se sont fixés dans la vallée du Nil. Au cours des siècles, les prés se sont transformés en désert. Cela ne veut pas dire que les hommes n'y sont pour rien si la situation s'est dégradée par endroits. En Afrique du Nord, les régions côtières étaient couvertes de forêts jusqu'à une époque récente (de nombreux lions, éléphants et autres animaux exotiques utilisés par les Romains dans les combats de gladiateurs venaient d'Afrique du Nord). Mais à force d'abattre des arbres et de laisser le bétail manger toute l'herbe, les zones fertiles se sont transformées en désert. Ce processus, ou désertification, se poursuit tout autour du Sahara. Les arbres et l'herbe disparaissent et la couche supérieure du sol est épuisée. C'est une des principales causes de la pauvreté dans les pays situés juste au sud du Sahara.

Une chute de cailloux dans les pierres, devant vous, vous arrache à la contemplation des peintures rupestres. Vous apercevez un petit crocodile qui court dans la poussière, sous les cyprès. Et cet insecte, n'est-ce pas une libellule ? Ne vole-t-elle pas toujours près de l'eau ? Vous sautez par-dessus les pierres… et tombez dans l'eau.

À l'ombre des hautes parois du canyon s'étend un lac long et étroit. Des touffes d'herbe verte et des arbustes poussent sur les berges. Vous distinguez juste les yeux d'un petit crocodile qui, caché sous un surplomb, émerge de l'eau. À en juger par les nombreuses traces sur le sable, d'autres animaux viennent par ici. Vous reconnaissez les empreintes de mouflons, de caracals et de hyènes. Il y a aussi des oiseaux : des mangeurs de graines comme les roselins, des insectivores comme les pipits, et des faucons qui les pourchassent tous. Vous avez découvert une vie abondante dans une des régions les plus désertiques du monde.

Réponse à la question de la page 97
Quel chemin est le plus sûr ?

Aucun n'est parfaitement sûr, mais, en y réfléchissant, vous risquez plus de tomber que d'être attaqué par des animaux.

Chemin 1. Plutôt facile, mais, si vous glissez, vous risquez de tomber de haut et de vous faire mal. Les prises pour les mains sont de bonnes cachettes pour des scorpions ou des serpents.

Chemin 2. Risque de chutes de pierres. Si une grosse pierre vous entraîne dans sa chute, vous pouvez vous blesser.

Chemin 3. Le plus sûr, car vous grimpez tout droit, sur des pierres qui ne risquent pas de tomber. Le serpent s'enfuira sans doute, le caracal a déjà à manger et n'est pas dangereux de toute façon.

Et la cascade ?

Vous la découvrez au bout du lac. « Cascade » est sans doute un bien grand mot… D'une fente dans la paroi rocheuse jaillit un filet d'eau souterraine qui tombe dans l'oasis en dessous. Elle est fraîche et claire, ce qui tient presque du miracle dans cette région aride.
Vous avez réussi !

Quelle découverte !

Une cascade d'eau pure et fraîche dont personne ne soupçonnait l'existence. Qu'allez-vous faire maintenant ? Garder le secret, afin que personne ne vienne abîmer ce coin de paradis ? Veiller à ce que ce lieu magique soit correctement protégé, au cas où d'autres viendraient à le découvrir ? Vous pourriez aussi écrire un livre racontant vos aventures dans le désert, et en parler à la télévision, ou bien publier des articles dans des revues scientifiques. Quoi que vous fassiez, souvenez-vous que vous n'auriez pas réussi tout seul, sans l'aide de Mohammed et de son camion (même s'il est tombé en panne), de ses sœurs Fatima et Assalama, d'Ahmed, d'Abdullah et de leurs chameaux, sans oublier bien sûr Norbert, qui ne vous a jamais mordu, ni craché à la figure une seule fois !

Mentionnez chacun d'eux lorsque vous raconterez vos aventures – dès que vous serez rentré chez vous…

Mais comment allez-vous rentrer ? Le retour sera long, peut-être aussi difficile que l'aller. Observez le dessin ci-contre et retrouvez le chemin que vous avez suivi. Quels hexagones avez-vous traversés et dans quel ordre ?

- Vous êtes parti de l'oasis de Djella...

- Vous avez traversé les plaines du reg, où le camion de Mohammed est tombé en panne.

- Vous vous êtes arrêté au puits de Bilan et avez remonté l'oued jusqu'au campement des Touaregs.

- Avec les chameaux, vous avez traversé la hamada rocheuse, puis...

- l'erg de Najmer jusqu'au...

- massif du Hoggar.

Réponse page 106.

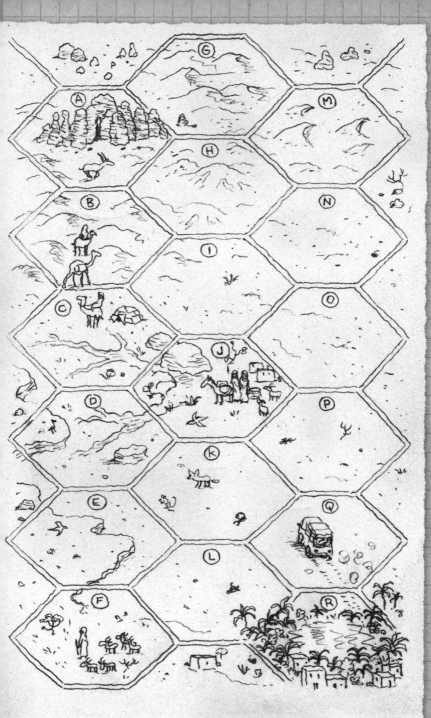

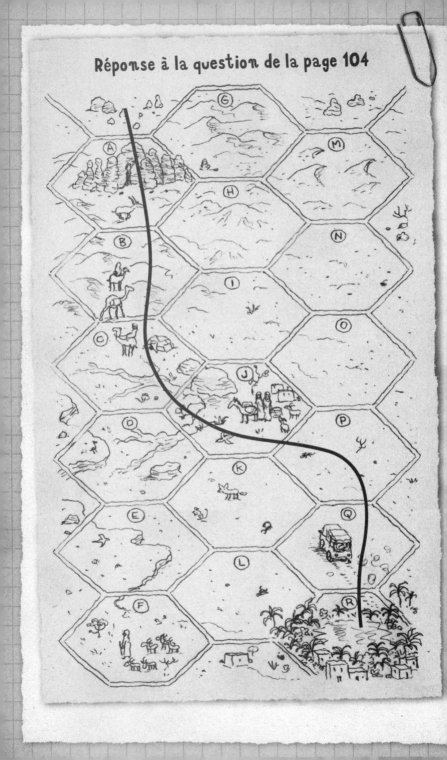

Cette expédition dans le désert du Sahara a prouvé
que vous êtes un vrai explorateur. Et maintenant,
qu'allez-vous faire ? Continuer à explorer d'autres
déserts, ou bien partir à la découverte de nouveaux
horizons, par exemple l'immensité arctique ?
Vous pourriez aussi partir explorer la jungle
ou découvrir les îles des mers du Sud.

De nouvelles missions vous attendent !

Une nouvelle mission vous attend au pôle Nord. En voici un petit aperçu...

VOTRE MISSION...

... si vous l'acceptez : partir en expédition au pôle Nord, traverser les terres arctiques et retrouver l'*Italia*, le dirigeable de l'explorateur Umberto Nobile. L'engin a mystérieusement disparu avec une partie de son équipage. Personne n'a jamais retrouvé leurs traces. Êtes-vous prêt à relever le défi, pour être le premier ?

Avant de partir, n'oubliez pas ce guide.
Il vous permettra de préparer votre matériel,
de traverser les étendues gelées avec un traîneau
à chiens, d'aller à la rencontre des peuples du Grand
Nord ou d'affronter les dangers de la banquise.
Mais surtout, de survivre !

Vous partez ? Alors, bonne chance...

MISSION SURVIE
AU PÔLE NORD

Ainsi... vous avez envie de partir en expédition au pôle Nord ?

De traverser les terres arctiques gelées avec un traîneau à chiens ?...

De vous battre contre des ours polaires et des renards bleus voraces ?...

De parcourir à skis le pays du soleil de minuit ?...

Si la réponse à l'une de ces questions est oui, alors ce livre est fait pour vous.

Comment survivre dans ce pays de neige et de glace, comment traverser la banquise pleine de dangers, comment vous diriger alors que vous ne pouvez aller que vers le sud… Ce livre vous donnera toutes les informations nécessaires. Vous y trouverez aussi quelques anecdotes amusantes sur des explorateurs partis à l'aventure avant vous. Lisez-le vite!

VOTRE MISSION...

… si vous l'acceptez, consiste à retrouver l'*Italia*, le dirigeable de Nobile.

Quelques dates :

23 mai 1928. L'aviateur et général italien Umberto Nobile quitte le Svalbard, (archipel de l'Arctique), à bord de son dirigeable et se dirige vers le nord. Son but est de survoler le pôle pour vérifier si, comme certains le prétendent, il existe encore des terres vierges au milieu de toutes ces plaques de glace qui dérivent.

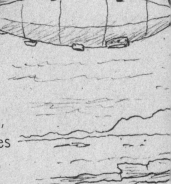

25 mai 1928. Réception d'un message disant : "Enveloppe couverte d'une croûte de glace. Trop lourd. Obligés de descendre…"

La liaison radio étant interrompue, une mission de sauvetage internationale est dépêchée sur les lieux. Des hydravions survolent l'océan Arctique, tandis que des brise-glace dégagent un chemin dans la banquise. Finalement, Nobile et plusieurs de ses équipiers sont sauvés (vous saurez comment en lisant le chapitre 8). Mais ni le dirigeable, ni les six malheureux Italiens qui étaient à bord lorsqu'il fut emporté par le vent, après s'être écrasé, n'ont jamais été retrouvés. Personne ne sait ce qui leur est arrivé... jusqu'à ce jour de...

Janvier... où une image satellite montre quelque chose de long et de noir sur la banquise, près de Murrelet Island, au nord du Groenland. Serait-ce l'*Italia* ? À vous de le découvrir en vous rendant sur place.

Attention ! Vous devez agir vite. Le temps de mettre sur pied votre expédition, et ce sera déjà fin mars. Avec l'arrivée du printemps, la température montera et la banquise commencera à fondre et à se rompre. La glace supportant le dirigeable – si c'est bien lui – risque de se détacher et de dériver. Vous aurez alors perdu toute chance de le retrouver. Peut-être pour toujours.

Quelle est votre destination ?

L'Arctique. Le toit du monde. C'est une région extrêmement froide, désolée, balayée par le vent, et presque entièrement couverte de glace et de neige. Elle est entourée de terres, dont les grandes îles montagneuses du Groenland et du Svalbard, mais, au pôle même, il n'y a que de la glace. De l'eau gelée. Cette calotte glaciaire change constamment de forme, ses bords fondant en été et regelant en hiver. Entre-temps, les courants marins entraînent les plaques de glace, lesquelles se rejoignent, puis se séparent et se recomposent différemment.
La végétation est quasi inexistante et tout ce qui vit cherche dans la mer de quoi manger.

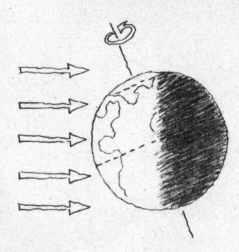

L'ÉTÉ AU
CERCLE
POLAIRE
ARCTIQUE

Les terres situées au sud du cercle polaire arctique sont occupées par la toundra – végétation basse composée, entre autres, de mousses et de petits arbustes –, qui grouille de vie pendant les deux ou trois mois d'été et est gelée pendant le reste de l'année.

Les saisons sont extrêmes.
Au plus fort de l'été, le
jour est continu. Compte
tenu de l'inclinaison
de la Terre sur son axe,
les régions nordiques sont
alors toujours orientées
vers le soleil. Celui-ci
est bas à l'horizon, sans
jamais disparaître.
La banquise commence
à se fragmenter, la neige
qui recouvre la toundra
fond et certains oiseaux,
comme les cygnes et
les oies, migrent vers
le nord pour trouver de
la nourriture, avant que
les jours raccourcissent
et que le froid revienne.
Au cœur de l'hiver,
l'Arctique est plongé
dans l'obscurité de
manière continue. Les
températures chutent
et la plupart des animaux
et des oiseaux (ceux qui
le peuvent) migrent vers
le sud pour survivre.

CALOTTE
GLACIAIRE
EN ÉTÉ

CALOTTE
GLACIAIRE
EN HIVER

À l'autre extrémité de la planète, dans l'Antarctique,
les saisons se succèdent de la même manière, mais
sont inversées. Lorsque c'est l'hiver dans l'Arctique,
c'est l'été dans l'Antarctique.

Quand la nuit est continue dans l'Arctique, le jour
est continu dans l'Antarctique, et *vice versa*.

Quelles sont les autres différences entre le pôle Nord
et le pôle Sud ? L'Arctique est essentiellement un océan
gelé, l'Antarctique une masse de terre continentale solide
– avec même des vallées désertiques où la neige ne
tombe jamais. Sinon, les deux régions polaires, en grande
partie couvertes de neige et de glace, se ressemblent.
Bon nombre des animaux vivant aux deux extrémités
de la Terre sont similaires. On retrouve certaines espèces,
même si elles présentent des différences.

STERNE
ARCTIQUE

GUILLEMOT
DE BRÜNNICH

ARCTIQUE ET
ANTARCTIQUE

Indiquez où vivent les animaux représentés sur le dessin : au pôle Nord, au pôle Sud ou aux deux ?

1. Ours polaire

2. Phoque

3. Morse

4. Petit rorqual (baleine)

5. Caribou

6. Manchot empereur

7. Guillemot de Brünnich

8. Sterne arctique

Réponses pages 15-16.

EXTRAIT

En réalité, à quoi ressemble l'Arctique ?

Avant de vous mettre en route pour l'Arctique, vous devez savoir ce qui vous attend…

La banquise. Immense étendue plate d'une blancheur éblouissante, qui s'étend à perte de vue, dans toutes les directions. Le soleil reste bas à l'horizon, tandis que votre ombre se détache sur la banquise. Un vent fort vous transperce, chargé de minuscules cristaux de glace qui vous piquent la peau. Grâce à votre parka et à vos bottes polaires, vous avez plutôt chaud, mais, au fond de vous-même, vous sentez qu'il n'en faut pas beaucoup pour que cet équilibre se rompe et que vos chances de survie deviennent très limitées.

Le temps peut par exemple se dégrader, et vous voilà plongé dans un épais brouillard blanc, sans visibilité (jour blanc). Rien de tel pour se perdre aussitôt !

Si vous perdez un gant par – 14 °C (avec ce vent glacé, la température peut chuter à – 34 °C), vous aurez bientôt les doigts gelés : ils vont s'engourdir et pourront même tomber.

JOUR BLANC

Si la glace se rompt sous votre poids, votre fin pourrait être plus rapide que prévu. Si vous n'avez pas une crise cardiaque en tombant dans l'eau glacée et si vous réussissez à remonter sur la banquise, vous n'aurez que quelques minutes pour vous réchauffer avant d'être paralysé par le froid et de perdre connaissance.

Et si vous rencontrez un **ours polaire** ? Le plus grand des prédateurs terrestres pourrait bien vous dévorer tout cru !

Vous pensiez peut-être que cette expédition serait facile ? Vous vous trompiez, car vous devez non seulement survivre, mais aussi traverser ce désert blanc. Il vous faut apprendre à le connaître et vous procurer tout le matériel nécessaire.

Réponses aux questions de la page 13

1. Pôle Nord.

2. Les deux, même si les espèces sont différentes à chaque pôle.

3. Pôle Nord.

4. Les deux. Certaines espèces de baleines migrent vers les deux pôles, dont les mers sont riches en plancton.

5. Pôle Nord. L'Antarctique est séparé des autres continents par des centaines de kilomètres de mer. Aucun animal terrestre ne l'a jamais atteint.

À SUIVRE...

Carnet de bord

Servez-vous de ces pages pour noter vos remarques de terrain ou réaliser des dessins et croquis.

Achevé d'imprimer en France chez Aubin
Dépôt légal : 4e trimestre 2006